現代日本語コース中級II

名古屋大学日本語教育研究グループ 編

A COURSE
IN
MODERN
JAPANESE

VOLUME FOUR

名古屋大学出版会

は じ め に

　本書は『現代日本語コース中級 I ―A COURSE IN MODERN JAPANESE
Vol. III―』（名古屋大学出版会）に続くものです。したがって，課の構成は
第 10 課～第 18 課となっています。I と同様，円滑な意志の疎通を目的に
し，学習者の口頭運用能力を高めることに重点をおいています。I と II を
合わせて中級段階における話し言葉の教育のシラバスが完結したことにな
ります。

　今回も名古屋大学出版会の籠谷直子氏には多大の御尽力をいただきまし
た。氏の労をいとわない熱意と誠意がなければ本書は完成しなかったで
しょう。記して感謝いたします。

　　1989 年 12 月

編 者 一 同

本書について

1. 内容

　この教科書は，"A Course in Modern Japanese" Vol. I と Vol. II をうけて作られた『現代日本語コース中級 I 』（C. M. J. Vol. III）に続くものです。

　『現代日本語コース中級 I 』には第 1 課から第 9 課までがあります。そしてこの中級 II の教科書は，10 課から 18 課までの本文と，参考資料（さんこうしりょう），インデックスからできています。本文のカセットテープも作ってあります。一人で勉強する時には使ってください。

　一つの課は次のようになっています。

> 会話（テープがあります）
> 会話ノート
> 文法
> 練習（テープがあります）
> 聞く練習
> 読む練習

参考資料の中に「談話（だんわ）の諸相（しょそう）」と「文法ノート」というのがあります。これは，会話のきまりと文のきまりを日本語で説明したものです。漢字は知っているが英語はあまりわからないという人は，この日本語の説明を読んでください。また，漢字について知りたい人は，中級 I の参考資料の中の "KANJI NOTES" を読んでください。

2. この教科書を使って勉強する人のために

1）ことば・記号

　教科書を使うまえに，次のことばをおぼえてください。

会話（かいわ）……………………………	Dialog
会話ノート（かいわのうと）……………	Notes on Conversation
文法（ぶんぽう）…………………………	Grammar
練習（れんしゅう）………………………	Drill
用法練習（ようほうれんしゅう）………	Usage Drill
場面適用練習（ばめんてきようれんしゅう）	Adaptation Drill
談話練習（だん------われんしゅう）………	Discourse Drill
場面練習（ばめんれんしゅう）…………	Situational Drill
文法練習（ぶんぽうれんしゅう）………	Grammar Drill
聞く練習（きくれんしゅう）……………	Aural Comprehension
読む練習（よむれんしゅう）……………	Reading Comprehension

会話文の中に小さい数字があります。これは会話ノートの中の"2．Expressions"に説明があることを示す数字です。

2）勉強のしかた

①**会話文**　まずテープを一度聞いてください。聞いたあと，だれが何について話しているか考えてください。わからない時にはもう一度聞いてください。次に，ことばの意味，文の意味をたしかめながらもう一度聞いてください。わからない時には，"Vocabulary list"と"Expressions"を読んでください。そして，ことばを覚えてください。そのあともう一度テープを聞いてください。

こんどは，会話をくりかえして練習してください。まず，はじめの文をテープで聞いてください。そしてテープをとめます。そのあと，テープと同じ文を言ってください。あなたが言った文をテープに入れて，二つをくらべてください。二つの文は，イントネーションは同じですか。アクセントは同じですか。ストレスは同じところにありますか。同じようになるまで練習してください。

はじめの文がおわったら，次の文も同じように練習してください。

くりかえしの練習がおわったら，最後に会話をおぼえてください。会話をおぼえるためには，あなたとテープがペア・ワークをするといいでしょう。AさんとBさんの会話で，テープがAさんで，あなたがBさんです。テープのAさんがはじめの文を言います。そのあとテープをとめて，あなたがBさんの文を言ってください。これをくりかえしてください。これがおわったら，こんどはあなたがAさんになり，テープがBさんになります。

上のことがぜんぶおわったら，「練習」の中の「用法練習」にすすんでください。

②**会話のきまり・文のきまり**　「会話ノート」の中の"Aspects of the discourse"を読んでください。英語がよくわからない人は，参考資料の説明を読んでください。説明を読んだあと，例文を見て，その中の使い方をたしかめてください。わからないことがあれば，ノートに書いて，次の日にクラスで先生に質問してください。

これが終ったら，「練習」の中の「談話練習」にすすんでください。

「文のきまり」は「文法」を読んで勉強してください。やり方は上と同じです。そのあと，「練習」の中の「文法練習」にすすんでください。

③**練習**　まず，「用法練習」について説明します。

テープを聞くまえに，問題の下の会話を読んでください。そして，だれが，だれと，どんなところで話しているかを考えてください。そのあとテープを聞いてください。その時イントネーション，ストレス，ポーズに注意して聞いてください。次に，テープと同じように言えるまでくりかえしてください。最後に，会話の下にある練習用のことばを使って練習してください。

「用法練習」の中に「場面適用練習」というのがあります。これは，会話を作る練習です。会話のはじめからおわりまで自分で作ってください。そして，作った会話をクラスで練習してください。

　次に「談話練習」について説明します。

テープで「場面練習」のそれぞれの会話を聞いてください。それぞれの会話がどうちがうのか

を，"Aspects of the discourse"をもう一度読みながら，たしかめてください。そのあと，それ

ぞれの会話をくりかえして練習してください。「会話文」や「用法練習」と同じようにテープの

発音をよく聞いてください。そのあと，「練習」にすすんでください。「練習」では意味をたし

かめながらテープを聞いてください。そのあと，テープと同じようにくりかえしてください。

　最後に「文法練習」について説明します。

　まず，会話を読んでください。そこで練習する文法は問題のはじめに書いてあります。それ

がどんなことかわからない時には，もう一度「文法」を読んでください。そして，次の三つの

ことをたしかめてください。(1)形を作ることができますか。(2)その文法を使って文を作ること

ができますか。(3)その文法を会話の中で使うことができますか。(1)と(2)ができない人は，「文法」

をよく読んだり，前に使った教科書を読んだりしてください。ここでは(3)をよく勉強してくだ

さい。やり方は「用法練習」と同じです。

　④**聞く練習**　一つの課に聞く練習が二つか三つあります。まずテープを聞いてください。わか

らない時には，単語表を見て，知らないことばを声を出して読んで，意味をたしかめてくださ

い。そして，絵や写真がある時には，それを見ながら場面を考えてください。あなたが今まで

に見たこと，したことを思い出してください。

　そのあと，もう一度テープを聞いてください。そして，次の三つのことをたしかめてくださ

い。(1)テープの話は何についてですか。(2)テープの話はどうなりましたか。

　次にもう一度テープを聞きますが，こんどは，一つの文を聞いたら，テープをとめて，文の

意味をたしかめてください。単語表がありますから，一つ一つのことばはわかるはずです。わ

からないことばがあったら，あなたの頭の中にある日本語の辞書の中から，聞いた音にちかい

ことばをさがしてください。それでもわからなかったら，クラスで先生に聞いてください。こ

のやり方を最後の文までつづけてください。それから，先生にもらった「聞く練習」のための

問題に答を書いてください。

　⑤**読む練習**　まず，単語表を見ながらおわりまで読んでください。次に一つの文の意味をたし

かめながら読んでください。この時「。」までかならず読んでください。とちゅうで止まらない

でください。

　一つの文を読む時，まず，文が動詞(どうし: verb)でおわるか，形容詞(けいようし: adjective)

でおわるか，「です／だ／である」でおわるか，たしかめてください。次に，文の中の名詞(め

いし: noun)をさがしてください。名詞の前にある動詞や形容詞などは名詞を修飾(しゅうしょ

く: modify)します。修飾することばがどこからはじまっているかをさがしてください。

　一つの文がおわったら，次の文にすすみますが，「そして」「そこで」「しかし」などに注意し

て読んでください。また，「これ」「それ」などが何なのかもよく考えてください。

　最後の文まで読んだら，次に声を出して読んでください。この時すぐ読みはじめるのではな

くて，「。」まで，またはパラグラフのおわりまで目で読んで，意味をたしかめたあとで，はじ

めてください。

3．本書をお使いの先生方へ

　本書は中級段階の話しことばの指導に重点をおきました。円滑なコミュニケーションを支える口頭表現能力を養成することが目的です。以下では本書の作成方針と指導法について簡単に述べます。

1）会話

　①**会話の題**　日常の会話の中から「感謝する」「ほめる・けんそんする」など九つの機能項目を選び出しました。これらの項目は，会話の目的，あるいは言語行動の種類を表しています。

　②**扉の表現**　各機能項目を表す典型的な表現を会話の中から選びました。これらの表現は文脈と密接な関係があります。表現だけを切り離して教えるのではなく，文脈の中で練習する必要があります。

　③**会話文**　会話は，使われる言葉のていねいさによって，A，B，Cの三つのレベルに分けて作ってみました。具体的には，Aは先生などの目上の人と話す時，Bは日ごろつきあいのある先輩などと話す時，Cは親しい友人と話す時，というふうに設定しました。「会話1」ではAまたはB，「会話2」ではBまたはCを扱いました。また，会話の主な登場人物は理科系の大学院生です。従って，会話の場所は研究室が多くなっています。クラスでは，学習者の予習を前提として，会話を実際に行わせることが中心作業です。長い会話は短く切って指導します。人数がたくさんの時にはペア・ワークを行うと効果的です。指導の要点は音声にあります。テープの音声をできるだけ忠実に再現することが目標です。

　④ Vocabulary list　各語に与えた英語訳は会話の流れに適したものです。他の文脈では異なった英語訳になることも少なくありません。

　⑤ Expressions　初級では習わなかったと思われる文法や表現に簡単な説明を与えました。会話理解の役に立てばよく，この段階で積極的に使わせる必要はないと考えています。

　⑥ Aspects of the discourse　話し言葉の特徴を取り上げ，説明を与えました。説明では，どのような発話形式をどのような場面で選択すべきかという点を強調しました。言い換えれば，適切な言語使用を可能にする方策を学習者に教授することをねらいました。

2）文法

　初級文法を整理することを第一の目的とし，併せて中級段階に相当すると考えられるいくつかの文法・表現に説明を与えました。初級を終了した学生を対象にしているので，動詞の活用形，例えば「-て形」の作り方などの説明は省略しました。

3）練習

①用法練習 ここでは，「会話文」で扱った機能項目の典型的な表現を練習します。練習課題は会話の形にしました。その会話を，「会話文」と同様にＡ，Ｂ，Ｃの三つのレベルに分けました。例えば，「たのむ」という機能項目に見られる表現を例に取ってみると，「教えていただけませんでしょうか」，「教えてくださいませんか」，「教えてほしいんですが」，「教えてください」，「教えて」などのようにいくつもの言い方ができます。先生，先輩，親友という三者を聞き手とした場合には，それぞれ異なった形式を選択しています。用法練習の１ではＡ，２ではＢ，３ではＣのレベルの表現を練習させます。

用法練習の会話では，常体（「ダ」の省略を含む），縮約形，助詞の脱落など話し言葉に特有の現象を多く取り入れてあります。これらも指導項目の一つと考えています。

②談話練習 談話練習は「場面練習」と「練習」の二部構成です。

まず「場面練習」から説明します。ここでは，各場面の提示理由を学習者に理解させる必要があります。そのため，次のような談話の構成要素を認識しているかどうかを確かめる作業を行います。(1)会話の参加者，(2)会話の場面，(3)題，(4)文脈，(5)発話者の心的態度，(6)身振りなどの非言語的態度。どの談話要素に重点を置くかは，各課の学習項目により異なっています。それから，その課の学習項目がそれぞれの会話のどの部分に示されているかを確めます。その後，会話を模倣させます。２発話以上のまとまりを模倣させることが必要でしょう。

次に「練習」について説明します。ここでは「場面練習」，あるいは "Aspects of the discourse" の分類に従って会話例を提出しています。クラスでは，テープと同じような会話が再現できるまで繰り返し練習させます。「場面練習」が理解に重点を置いているのに対し，こちらでは運用を重んじています。「練習」がおわると，その応用練習を行うことが考えられます。

③文法練習 「文法」で説明した項目の中からいくつか選択し，その項目を取り入れた会話例が用意してあります。文法の練習は，活用形の定着，文の構成，談話への適用という順序で行う必要があろうと思われます。ここでは初級を終了した学習者であるという事情を考慮して，活用形・文の単位での練習は大部分割愛してあります。必要があれば，会話に入る前に簡単な変形練習や置き換え練習を行うのがいいだろうと思われます。

4）聞く練習

話すとか書くという行為に対し，読み，聞きは内容を選択することができません。つまり，これこれの文法・表現・語彙だけで構成されている内容を聞かせてくださいという要求は，教室の外では通用しません。情報は，学習者が習得している事項とは関係なく発せられ，耳に入ってきます。それをいかに処理し，どのようにして必要な情報を獲得していくかという技術力の養成が中級段階の課題の一つであると考えて，聞く練習を作成しました。

聞く練習は，Ａ，Ｂ，Ｃの３種類のものを作成しました。Ａは，不特定多数の聞き手を対象としたもので，駅やバスの案内放送，大学の講義，ラジオ番組などを選びました。Ｂは，外国人である学習者が参加して，日本人に質問したり説明を聞いたりしている会話です。例えば，

病院の受付けや歯医者でのやり取りなどです。Cは，日本人同士の会話を外国人である学習者がそばで聞いている場面を取り上げました。会話の話題は，大学生活という視点から選びました。

　学習者に予習を促し，方向付けを与えるためにタスク・シートを作成する必要があります。これは，簡単に言えば質問表または作業表です。内容に関する質問の一覧表であってもいいし，空欄を埋める課題であってもいいと思われます。このタスク・シートは「聞く練習シート」として，1992年春に名古屋大学出版会より発行の予定です。

5）読む練習

　読む練習は，より高度な読解力を養成することを目的としています。素材はいろいろな分野から取りました。雑誌，新聞，本から引用したものについては若干手を加えました。

　各課の話題は，その課の会話文や聞く練習と関係はありませんが，教科書全体でいろいろな分野の言葉を知ることができるようになっています。課が進むにつれて少しずつむずかしくなっていきますが，順序にとらわれず，必要だと思われる話題を選択することもできます。

　クラスでは，精読と大意把握の両方の作業が考えられます。精読では，文字連続を単位に分け，単位間の修飾関係を明確にする指導が必要です。大意把握の作業の一つには，段落の要約があります。また，学習者に音読させることも指導の一つです。音読では，文字を音声に変えるというのではなく，意味と後続の文脈を考えながら読ませる必要があるだろうと思われます。

　最後になりましたが，本書を使った授業の進め方について述べます。

　集中コースの場合は次のようなカリキュラムが考えられます。50分を1時限とします。

	第1日目	第2日目
1時限目	課の解説と質疑	用法練習
2時限目	会話（1）	談話練習
3時限目	会話（2）	文法練習
4時限目	聞く練習（前半）	聞く練習（後半）
5時限目	読む練習（前半）	読む練習（後半）

　補習クラスでは時間が多くとれないので，圧縮した授業を進めるか，あるいは省略した内容を与えるかのどちらかになるものと思われます。90分を1時限とします。

（第一案）	（第二案）
1時限目　会話，用法練習	1時限目　会話，用法練習，文法練習
2時限目　談話練習，文法練習	2時限目　談話練習，聞く練習
3時限目　聞く練習，読む練習	（読む練習は省略します）

　評価について述べて終りとします。評価のしかたは学校によって異なるものと思われます。ここでは一つの例を挙げるにとどめます。教科書は9課構成ですから，3課ごとの試験が考えられます。試験の内容は，文法テスト，読解テスト，聴解テスト，会話テストに分かれます。

はじめの三つは，ペーパーによるテストであり，最後のテストは口頭で行い，テープレコーダーに録音します。試験の前には，学習者に試験の範囲を伝えなければなりません。この時，学習者の負担を軽減するために，取捨選択する必要があろうかと思われます。そのほうが効率的な勉強ができると判断されるからです。

４.『現代日本語コース中級Ⅰ』について

　これは，『現代日本語コース中級Ⅱ』の前の教科書で，初めに書いたように第1課から第9課までです。各課の構成は『中級Ⅱ』と同じです。『中級Ⅰ』と『中級Ⅱ』の2巻で一まとまりになっています。『中級Ⅰ』で扱った言語行動は次の通りです。

> L.1　たのむ
> L.2　さそう・うける
> L.3　さそう・ことわる
> L.4　許可をもらう・許可する
> L.5　ことづける
> L.6　たのまれたことを伝える
> L.7　考えを言う
> L.8　助言する
> L.9　申し出る

目　　次

はじめに……………………………………………………………………… i

本書について ……………………………………………………………… ii

第 10 課　「感謝する」 …………………………………………………… 1

　会話 ………………………………………………………………………… 2

　会話ノート ………………………………………………………………… 4

　　1．Vocabulary list

　　2．Expressions：　はじめは，間，〜用

　　3．Aspects of the discourse：　**Aizuchi**（3）

　文法 ………………………………………………………………………… 7

　　Ⅰ．Usage of "も"

　　Ⅱ．Expressions of personal intention and conviction

　練習 ………………………………………………………………………… 12

　　1．用法練習

　　2．談話練習

　　3．文法練習

　聞く練習 …………………………………………………………………… 20

　　A．ディスクジョッキー

　　B．プロ野球について聞く

　　C．貸し借り

　読む練習 …………………………………………………………………… 25

　　　「四月十日，ボストンコモンにて」

第 11 課　「ほめる・けんそんする」 ………………………………… 29

　会話 ………………………………………………………………………… 30

　会話ノート ………………………………………………………………… 33

　　1．Vocabulary list

　　2．Expressions：　〜ふうに，さすが

　　3．Aspects of the discourse：「のだ」について（1）

　文法 ………………………………………………………………………… 37

　　Ⅰ．Time expressions

　　Ⅱ．Usage of "は"

　練習 ………………………………………………………………………… 43

　　1．用法練習

　　2．談話練習

　　　3．文法練習
　聞く練習 ……………………………………………………………… 52
　　　A．対談： 企業がのぞむ人材
　　　B．リフレッシュ体操をする
　　　C．京都旅行
　読む練習 ……………………………………………………………… 57
　　　「『わかる』ということ」

第12課 「文句を言う」 ………………………………………………… 61
　会話 …………………………………………………………………… 62
　会話ノート …………………………………………………………… 64
　　　1．Vocabulary list
　　　2．Expressions： ～中, ～って, いらした, -ていらした, -ても/-でもはじまら
　　　　　　　　　　　ない
　　　3．Aspects of the discourse： 「のだ」について（2）
　文法 …………………………………………………………………… 67
　　　Ⅰ．Expressions of guess： -そうだ, ようだ（みたいだ）and らしい
　　　Ⅱ．Contrastive patterns： のに, けれども, and -ても
　　　Ⅲ．Expressions using "気（き）"
　練習 …………………………………………………………………… 72
　　　1．用法練習
　　　2．談話練習
　　　3．文法練習
　聞く練習 ……………………………………………………………… 80
　　　A．ニュース： 春闘
　　　B．ビザを延長する
　　　C．習慣の違い
　読む練習 ……………………………………………………………… 85
　　　「原っぱ」

第13課 「あやまる」 …………………………………………………… 89
　会話 …………………………………………………………………… 90
　会話ノート …………………………………………………………… 92
　　　1．Vocabulary list
　　　2．Expressions： ～ということだ, おたがいさまだ
　　　3．Aspects of the discourse： Leaving elements unsaid（1）
　文法 …………………………………………………………………… 95
　　　Ⅰ．Potential sentence
　　　Ⅱ．Expressions of obligation and condition

　　　Ⅲ．Expressions of probability

　　練習 ………………………………………………………………… 100

　　　1．用法練習

　　　2．談話練習

　　　3．文法練習

　　聞く練習 ……………………………………………………………… 109

　　　A．生活ゼミナール

　　　B．徳川美術館で説明を聞く

　　読む練習 ……………………………………………………………… 115

　　　「科学者の社会的責任」

第14課　「なぐさめる」 ……………………………………………… 117

　　会話 …………………………………………………………………… 118

　　会話ノート …………………………………………………………… 121

　　　1．Vocabulary list

　　　2．Expressions：　～くらい/ぐらい，こんど

　　　3．Aspects of the discourse：　Leaving elements unsaid（2）

　　文法 …………………………………………………………………… 124

　　　Ⅰ．Usage of "もの"

　　　Ⅱ．Usage of "わけ（訳）"

　　　Ⅲ．Usage of "ところ"

　　　Ⅳ．Usage of "こと"

　　練習 …………………………………………………………………… 129

　　　1．用法練習

　　　2．談話練習

　　　3．文法練習

　　聞く練習 ……………………………………………………………… 137

　　　A．ドラマ：　青春物語

　　　C．映画「乱」

　　読む練習 ……………………………………………………………… 143

　　　「散髪脱刀随意令」

第15課　「別れを告げる」 …………………………………………… 147

　　会話 …………………………………………………………………… 148

　　会話ノート …………………………………………………………… 151

　　　1．Vocabulary list

　　　2．Expressions：　～うちに（は）はいらない，ぜひ，いよいよ

　　　3．Aspects of the discourse：　Leaving elements unsaid（3）

　　文法 …………………………………………………………………… 155

Ⅰ．Expressions for showing purpose

Ⅱ．Expressions of hearsay：　〜そうだ，〜と言っていた and〜って

練習 ……………………………………………………………………… 160

　　1．用法練習

　　2．談話練習

　　3．文法練習

聞く練習 ………………………………………………………………… 168

　　A．電話教育相談

　　B．歌「道化師のソネット」をきく

読む練習 ………………………………………………………………… 173

　　「東京問題の解決策」

第16課　「満足する・後悔する」 …………………………………… 175

会話 ……………………………………………………………………… 176

会話ノート ……………………………………………………………… 178

　　1．Vocabulary list

　　2．Expressions：　やっぱり，〜かい/がい

　　3．Aspects of the discourse：　Independency of a sentence in spoken Japanese

文法 ……………………………………………………………………… 181

　　Ⅰ．Passive sentence

　　Ⅱ．Usage of "だけ"

　　Ⅲ．Usage of the volitional form of verbs

練習 ……………………………………………………………………… 186

　　1．用法練習

　　2．談話練習

　　3．文法練習

聞く練習 ………………………………………………………………… 192

　　A．ドラマ：　浜辺の謎

　　B．歌「舟唄」をきく

読む練習 ………………………………………………………………… 199

　　「私の読んだ本」

第17課　「賛成する・反対する」 …………………………………… 201

会話 ……………………………………………………………………… 202

会話ノート ……………………………………………………………… 204

　　1．Vocabulary list

　　2．Expressions：　ただ，かえって，一概に

　　3．Aspects of the discourse：「こ・そ・あ」と「こ・そ・あ」の「そ」につ
　　　　　　　　　　　　　　　　　　いて

文法 ……………………………………………………………………… 209

　　Ⅰ．Noun-modifying clause（2）

Ⅱ．Conjunctions：　そして，それから，それに and それで

Ⅲ．"-たり" and "し"

練習 ……………………………………………………… 214

　　1．用法練習

　　2．談話練習

　　3．文法練習

聞く練習 ………………………………………………… 221

　　A．ラジオ講座：　高齢化社会

　　C．好きなタイプ

読む練習 ………………………………………………… 225

　　　「新聞マンガ」

第18課　「注釈する」 ………………………………… 229

会話 ……………………………………………………… 230

会話ノート ……………………………………………… 232

　　1．Vocabulary list

　　2．Expressions：　〜によって，失礼しました，〜にかけて，〜(の)に対して

　　3．Aspects of the discourse：「こ・そ・あ」の「こ」と「あ」について

文法 ……………………………………………………… 236

　　Ⅰ．Causative sentence

　　Ⅱ．Nominalization：　こと and の

　　Ⅲ．Particles showing the speaker's emotional attitude

練習 ……………………………………………………… 241

　　1．用法練習

　　2．談話練習

　　3．文法練習

聞く練習 ………………………………………………… 250

　　A．講演：　建築における日本美

　　C．名前について

読む練習 ………………………………………………… 255

　　　「笑いについて」

参考資料 ………………………………………………… 257

　　1．会話ノート「談話の諸相」（日本語版）

　　2．文法（日本語版）

　　付：年号早見表

　　　　日本地図

INDEX ……………………………………………………… 311

日本と世界のあゆみ

第 10 課

感 謝 す る

○ありがとうございました。

○おかげさまで。

○みんな喜んでました。

○これがあって助かりました。

○いろいろすみませんでした。

会　　話

会話　1　渡辺さんの家の玄関で

（ピンポーン）

渡辺　　：　はい。

ペレス：　ペレスですが。

渡辺　　：　はい。

ペレス：　あ，これ，お返しにあがりました。どうもありがとうございました。

渡辺　　：　あ，お役にたちました。

ペレス：　はい，おかげさまで。

渡辺　　：　よかったわ。

ペレス：　ええ。すごくおいしく焼けました。みんな喜んでました。

渡辺　　：　何人ぐらい来たの。二つでたりた。

ペレス：　ええ。15人も来ちゃったんです。はじめは5，6人のつもりだったん(1)
　　　　　ですけど。

渡辺　　：　あら，そりゃ大変だったわね。

ペレス：　ええ。でもこれがあって助かりました。

渡辺　　：　そう。

ペレス：　パーティには，これ本当に便利ですね。

渡辺　　：　じゃ，こっちにいる間，使っててもいいわよ。(2)

ペレス：　えっ，いえ，あの，そんなつもりじゃ……。

渡辺　　：　うちは一つあれば十分だから。

ペレス：　そうですか。じゃ，遠慮なくお借りします。

渡辺　　：　どうぞ。

会話　2

　　　　鈴木：　助手

アリス：　あ，鈴木さん，コンピュータのマニュアル届きました。

鈴木　：　ああ，あの英文マニュアル。

アリス：　はい。おととい，たのんでくださった……。

鈴木　：　ああ，早かったね。

アリス：　ええ。ありがとうございました。

鈴木　：　いやいや。

アリス：　海外部へ言えば送ってもらえるなんて思いもしませんでした。

鈴木　：　輸出用に作ってあるはずだと思ったんだ。
　　　　　で，郵便で送ってきたの。

アリス：　いえ，宅配便でした。

鈴木　：　ふうん。宅配便だと早いんだね。

アリス：　ええ，わたしもびっくりしました。
　　　　　あ，お金は銀行振り込みでしたね。

鈴木　：　そうだよ。

アリス：　いろいろすみませんでした。

鈴木　：　いや。

会話ノート

1．Vocabulary list

It should be noted that the English equivalents given in the list refer only to the meaning of the Japanese word or phrase in each context.

感謝する	かんしゃする	appreciate

＜会話1＞

ピンポーン		(sound of a doorbell)
渡辺	わたなべ	(family name)
あがる		＝来る
焼ける	やける	be baked
喜ぶ	よろこぶ	be happy
たりる		be enough
遠慮なく	えんりょなく	without reserve

＜会話2＞

鈴木	すずき	(family name)
助手	じょしゅ	assistant (at a university)
マニュアル		manual
届く	とどく	come, arrive
英文	えいぶん	English
おととい		the day before yesterday
海外部	かいがいぶ	overseas department
思いもしない	おもいもしない	it doesn't occur to (someone)
宅配便	たくはいびん	delivery by a private shipping agency
振り込み	ふりこみ	money transfer

2．Expressions

(1)　はじめは　(at first, at the start, in the beginning)

This is used to indicate the beginning stage or part of a process. "は" is often omitted in daily conversation. There is a similar expression "はじめて," but it means "for the first time" and is used to tell that one has not had the experience before.

(2)　間（あいだ）　（during, between, while）

This is a noun in Japanese and can also be used as a conjunction in the same way as "時, 前" and "後." "間" is similar to "うち" when it is used to mean "during," but there is a slight difference in the nuance. "間" indicates the process of passing time, while "うち" has the connotation of showing a limit of time like the English word "within."

(3)　～用（～よう）　（for）

"～用" is a suffix which is used to show the literal meaning of "use" or "purpose."

（例）１．子供用　for children (lit. children's use)

２．輸出用　for export (lit. for the purpose of export)

3. Aspects of the discourse

Aizuchi (3)

A Japanese listener sometimes finishes up what the speaker is going to say as in

（例）A：　先生，この文法があまりよく……。
　　　B：　わかりませんか。
　　　A：　ええ。

It is common in daily conversation that two people, the speaker and listener, participate in completing one statement. In other words, finishing the speaker's unfinished sentence is regarded as a sign of positive participation, and it is natural for one person to leave part of his sentences unsaid and for the other person to finish them. Finishing up someone's statement is very common in daily conversation.

How to guess the rest of the sentence

Very often one can guess the rest from the situation, as follows.

（例）A：　きのう，ひさしぶりに六本木へ行きました。
　　　B：　あっ，きのうですか。

　　A：　ええ。
　　B：　じつは，わたしもきのう……。
　　A：　行ったんですか。
　　B：　ええ。
　　A：　ああ，そうですか。

The use of adverbs implying a negative statement also enables the listener to guess the rest of the sentence.

　　（例）A：　顔色がよくないですね。
　　　　　B：　ええ。体の調子があまり……。
　　　　　A：　よくないんですか。
　　　　　B：　ええ。

「です」「でした」

Sometimes some words like "です" and "でした" are used to finish up the speaker's unfinished sentences.

　　（例）A：　この絵はピカソの……。
　　　　　B：　ですね。
　　　　　A：　やっぱり。

　　（例）A：　きのう一番さきに来たのは，たしか山田さん……。
　　　　　B：　でしたね。
　　　　　A：　そうでしたよね。

Aizuchi with "ですね" or the like should be limited to familiar conversation. Sometimes such phrases as "と思います/かもしれません" are also used in **Aizuchi**.

　　（例）A：　きのう一番さきに来たのは，たしか山田さん……。
　　　　　B：　だったと思います。

　　（例）A：　先生は来週東京へいらっしゃるみたい。
　　　　　B：　あっ，ほんと。じゃ，来週のゼミは休み……。
　　　　　A：　かもしれないね。

文　　法

Ⅰ．Usage of "も"

A．Position

1．Noun ＋ Group 1 particle ＋も（Note that "が" and "を" are omitted.）
2．‐て form of a predicative word ＋も
3．Verb base ＋も
4．‐く form of ‐い adjective ＋も
5．Counter word ＋も

（例）1．東京からもたくさん来ました。
　　　2．写真をとってもかまいません。
　　　3．この2日間飲みも食べもしていません。
　　　4．あつくもさむくもありません。
　　　5．12年も勉強しているのにまだ上手に話せないんです。

B．Way of using and meaning

1．"も" has the meaning of "also" in a positive sentence and "neither" in a negative sentence.

（例）1．ルインさんはバスで行きます。アリスさんもバスで行きます。
　　　2．山田さんはきのう休みました。今日も来ませんでした。
　　　3．手紙も書きませんでしたし，電話もしませんでした。

2．It is used when the things compared are not clearly expressed. This might be said to be a psychological usage: it means that a speaker is comparing a thing with something in his/her mind.

（例）1．今年ももう終わりですね。
　　　2．わたしもずいぶん年をとりました。
　　　3．あの人も言いにくかったんでしょうね。

3．It indicates either complete affirmation or complete negation, depending on the interrogative word it follows.

（例）　1．どれも新しいものばかりです。
　　　　2．ルインさんはいつも勉強しています。
　　　　3．明日はどこへも行かないつもりです。
　　　　4．このことはだれにも話していません。

4．"も" also can show an extreme example when it follows a noun or a noun with a particle.

（例）　1．わたしにもできることが，どうして君にできないんでしょうか。
　　　　2．新聞も十分に読めません。
　　　　3．たくさんお金を使って，今1円もありません。

5．It expresses the judgement of a speaker, or an actual fact, when it is used right after a number or counter. It indicates that the amount or number is big or large when it is used in an affirmative sentence, and that the amount or number is less or smaller than the figure mentioned when it is used in a negative sentence.

（例）　1．1週間で漢字を100もおぼえたそうです。
　　　　2．子供が100万円も持っているというのは本当ですか。
　　　　3．こんな仕事は三日もかかりません。
　　　　4．こんなに疲れていては，10ページも読めません。

6．When "the counter ＋も" is used in a conditional sentence, it means that the figure mentioned is enough.

（例）　1．10分もあれば大学に着けるでしょう。
　　　　2．2000円もあればだいじょうぶです。
　　　　3．2時間もねればすぐによくなるでしょう。

II．Expressions of personal intention and conviction

A．Intention

1．"Volitional form of verbs ＋思う"
There are two different volitional forms of a verb: an affirmative form and a negative form.

	Dictionary form	Affirmative	Negative
Group 1 verbs	見る 教える 食べる	見よう 教えよう 食べよう	見まい 教えまい 食べまい
Group 2 verbs	買う 書く 話す	買おう 書こう 話そう	買うまい 書くまい 話すまい
Irregular verbs	来る する	こよう しよう	こまい しまい

（例）1．来年は論文を書こうと思います。
　　　2．30分ほど待ってみようと思っています。
　　　3．英語では話すまいと思っています。
　　　4．勉強中はぜったいテレビを見まいと思います。

2．Modifier ＋ つもりだ

a．Demonstrative pronoun ＋ つもりだ

（例）A：　会社をやめるんですか。
　　　B：　ええ，そのつもりです。

b．Noun ＋ の ＋ つもりだ

（例）A：　何時に出発しますか。
　　　B：　10時のつもりです。

c．Imperfective form of verbs ＋ つもりだ

（例）1．来月帰国するつもりです。
　　　2．後で電話するつもりです。
　　　3．英語では話さないつもりです。
　　　4．二度とここには来ないつもりです。

[Note 1]　The negative form of "つもりだ" is "つもりはない." "つもりはない" shows a stronger negation than the examples 3 and 4 given in 2. c. above.

（例）１．悪いことをするつもりはありません。ちょっと中を見るだけです。
　　　２．今結婚するつもりはありません。

[Note 2]　The perfective form of "つもりだ" is "つもりだった." It expresses the meaning that "I had intended to do something, but I didn't."

（例）１．勉強するつもりでしたが，友達が来てできませんでした。
　　　２．旅行に行くつもりでしたが，かぜをひいて行けませんでした。

B．Conviction

1．"はず"

a．"はず" indicates that a speaker is convinced about someone's behaviour or about a condition of something. It is always modified in the same way as "つもり."

（例）１．中村さんは３時ごろ来るはずです。
　　　２．アリスさんは図書館にいるはずです。
　　　３．あまり高くないはずです。

b．It is used to show the speaker's conviction about what he/she has done before, or what he/she is going to do in the future.

（例）１．きのうたしかに（わたしが）ここにおいたはずなんですが……。
　　　２．「たばこをすってはいけない」と何度も言ったはずですよ。
　　　３．あしたの３時ごろは研究室にいるはずです。

c．The negative imperfective form "はずはない" and the affirmative perfective form "はずだった" can also be used in the same way as "つもり" mentioned in II-A-2 ［Note 1］ and ［Note 2］.

（例）１．あしたはテストなんですから，あそぶはずはありません。
　　　２．たいせつなパーティーだから，行かないはずはありません。
　　　３．３時に電話をくれるはずでしたが，どうしたんでしょうか。
　　　４．もっとたくさん売れるはずでしたが，雨がふってだめでした。

2．Negative volitional form of verbs ＋と＋思う
This form shows the will or conviction of the speaker, and, depending on the topic of the sentence, we can understand which it is.

（例）　1．私は二度と行くまいと思います。（＝行くつもりはない）

　　　　2．アリスさんは教えまいと思います。（＝教えないだろう）

3．“つもり”

“つもり” can also express conviction as well as intention.　It is used when the speaker is convinced of his/her own condition or when the speaker implies that someone is convinced of his/her own condition.　In the case of the latter “ようだ” or “らしい” is often used after “つもり” in order to show the speaker's supposition.

（例）　1．まだまだ若いつもりです。

　　　　2．よく説明したつもりです。

　　　　3．アリスさんはどこにも行かないつもりのようです。

　　　　4．よく勉強しているつもりのようです。

練　習

１．用法練習

＜１＞（目上の人に感謝する場合）
　　　会話の下線のある部分を，下の１～５の言い方にかえて練習しなさい。

　　いろいろお手数をおかけしまして
　　　　　　［Ａ…先生（男性）　Ｂ…学生　先生に医師への紹介状を書いてもらっている］
　　　　　　　　　　　　　　⋮

　　Ａ：　うん……。これをね，受付に出せばいいからね。
　　Ｂ：　はあ。
　　Ａ：　むこうには電話でちょっと話しといたから。
　　Ｂ：　はい。いろいろお手数をおかけしまして……。ありがとうございました。
　　Ａ：　いやいや。

　　　　　　１．本当にお世話になりまして
　　　　　　２．いろいろお願いいたしまして
　　　　　　３．いろいろご無理をお願いいたしまして
　　　　　　４．いろいろご迷惑をおかけしまして
　　　　　　５．いろいろご面倒をおかけいたしまして

目上の人	めうえのひと	superior
医師	いし	（medical）doctor
紹介状	しょうかいじょう	letter of introduction
手数をかける	てすうをかける	cause（someone）some trouble, take one's time
迷惑をかける	めいわくをかける	cause（someone）some trouble
無理をお願いする	むりをおねがいする	ask（someone）to do something difficult
面倒をかける	めんどうをかける	cause（someone）some trouble

＜2＞（やや目上の人に感謝する場合）
　　会話の下線のある部分を，下の1～5の言い方にかえて練習しなさい。

写真（を）持ってきてもらった
　　　　［A…学生（女性）　　B…先輩（男性）］
　A：　あ，きのうはありがとうございました。
　B：　え。
　A：　写真，持ってきていただいて……。
　B：　ああ。
　A：　どうもすみませんでした。
　B：　いやあ。

　　　1．原稿（を）直してもらった
　　　2．いいお医者さん（を）紹介してもらった
　　　3．いろいろ相談にのってもらった
　　　4．大家さんにたのんでもらった
　　　5．先生に話してもらった

　　　　やや　　　　　　　　　　　　　　somewhat
　　　　原稿　　　　　　げんこう　　　　manuscript
　　　　直す　　　　　　なおす　　　　　correct, check
　　　　相談にのる　　　そうだんにのる　consult

＜3＞（友人に感謝する場合）
　　会話の下線のある部分を，下の1〜5のことばにかえて練習しなさい。

　　ゆうべ電話ありがとう
　　　　［A…学生（女性）　B…学生］
　　A：　おはよう。
　　B：　あ，<u>ゆうべ電話ありがとう</u>。
　　A：　（軽くうなずく）ねえ，旅行の申し込み，きょうまでだった。
　　B：　ちょっと待って，確かめてみるから。

　　　　　1．きのうはどうも
　　　　　2．ゆうべはおそくまでごめんね
　　　　　3．こないだはごちそうさま
　　　　　4．きのうはおつかれさま
　　　　　5．これ，ありがとう

軽く	かるく	slightly
うなずく		nod
こないだ		(「この間」の contracted form)
おつかれさま。		Thank you for your work.（lit.）

２．談話練習

場面練習

次の会話を練習しなさい。

AはBの友だち（少しくだけて）
A： あした，行くでしょう。
B： いや，それが……。
A： だめなの。（うん）どうして。
B： いや，じつは，国から友だちが……。
A： 来るの。
B： うん。それでどうしても……。
A： だめか。じゃあ，来週にしよう。
B： そう。わるいね。

練　習

＜１＞次の会話を練習しなさい。

1．A： もうできた。
　　B： いや，それが……。
　　A： あ，できてないの。
　　B： うん，ごめん。

2．A： この料理，どう。
　　B： うーん，僕はあんまり……。
　　A： 好きじゃない。
　　B： うん……。

3．A： 皆，来られるでしょう。
　　B： それが，私だけ……。
　　A： だめなの。
　　B： ええ。ごめんなさい。

4．A： あれ，あの人もう帰った……。
　　B： かもしれませんねえ。
　　A： うん，かばんないですもんねえ。

5．A： さっき会った人，たしかうちの大学のＯＢ……。

   B：ですねえ。
   A：ねえ。

      ＯＢ   オービー   alumnus

＜2＞_____のところを自分で作りなさい。

 1．A：この本は何度読んでも……。
   B：_____。
   A：ええ，ぜんぜん。

 2．A：あの人の中国語，どうでした。
   B：ええっ，あれ，中国語だったんですか。
   A：ええ。
   B：うーん。まったく……。
   A：_____。
   B：ええ。

 3．A：今，日本は夏だからオーストラリアは……。
   B：ちょうど_____。
   A：ですね。
   B：ええ。

 4． A：先生 B：学生
   A：予習の時にテープをくりかえし，くりかえし……。
   B：_____。
   A：あ，そうですか。何回ぐらい。
   B：2回ぐらいです。
   A：あ，それじゃあ，まだまだ……。
   B：_____。
   A：ええ。

3．文法練習

<１>「も」の練習　（I-B-6）
　　会話の下線のある部分を，下の１～５の言い方にかえて練習しなさい。

20 個ある
　　A：　どのくらいいるのかなあ。
　　B：　そうですね。20個もあれば，じゅうぶんだと思いますけど。
　　A：　そう。

　　　　1．300 グラム買う
　　　　2．10 人分用意する
　　　　3．1 万円ある
　　　　4．3 枚持っていく
　　　　5．5 台借りてくる

～個	～こ	piece of ～
～グラム		～ gram
～分	～ぶん	～ portion
～台	～だい	（counter for machinery）

<2> 「〜はず」の練習 （II-B-1-b）

1) 会話の下線のある部分を，下の1〜5の言い方にかえて練習しなさい。

書類(を)ここに入れた，みつからない

A： おかしいなあ。

B： どうなさったんですか。

A： <u>書類，ここに入れた</u>はずなのに，<u>みつからない</u>んですよ。

1． このテープレコーダー(を)直した　　また動かない
2． 先月の電話代(を)払った　　また請求書がきてる
3． この写真(を)オートでとった　　ピンボケだ
4． ビデオ(を)セットしといた　　とれてない
5． ルインさん(が)3時に来るって言ってた　まだ来ない

おかしい		strange
直す	なおす	repair, fix
電話代	でんわだい	phone charge
請求書	せいきゅうしょ	bill
オート		automatic focus
とる		take（a picture）
ピンボケ		out of focus

2) 会話の下線のある部分を，下の1〜5の言い方にかえて練習しなさい。

きのうの映画，行く

A： <u>きのうの映画</u>どうだった。

B： うん，まあまあ。

A： 山田さんも<u>行った</u>んでしょう。

B： ううん。<u>行く</u>はずだったんだけど……。

A： あ，そう。

1． スピーチコンテスト　　出る
2． 京都旅行　　行く
3． 試験　　受ける
4． きのうのゼミ　　発表する
5． アルバイト　　する

| スピーチコンテスト | | speech contest |
| 受ける | うける | take（an exam） |

— 18 —

発表する　　　　　　　はっぴょうする　　　　give（a presentation）
アルバイト　　　　　　　　　　　　　　　　　part-time job

＜３＞「～つもり」の練習　（II-B-3）
　　会話の下線のある部分を，下の１～５の言い方にかえて練習しなさい。

できる
　　Ａ：　あの人，ほんとにだいじょうぶかしら。
　　Ｂ：　うん，本人はできるつもりでいるようだけど。
　　Ａ：　そう。うまくいくといいね。

　　　　１．わかってる
　　　　２．上手だ
　　　　３．くわしい
　　　　４．まだ若い
　　　　５．じゅうぶんに準備した

　　　　上手な　　　　　　　じょうずな　　　　　skillful, be good at

— 19 —

聞く練習

A　ディスクジョッキー

ディスクジョッキー		disk jockey
ごきげんいかがですか		How are you?
くろきさゆり	黒木さゆり	(full name of a person)
「ほのぼのトーキング」		"Heart-Warming Talk" (title of a D.J. program)
けんこう	健康	health
ちょっぴり		ちょっと = a little
がん	癌	cancer
しいん	死因	cause of death
いきおい	勢い	force, tendency
ます	増す	increase
よぼう	予防	prevention
あんがい	案外	unexpectedly
せいぜい		at least
えんぶん	塩分	salt
ひかえる		cut down
グルメブーム		gourmet boom
のんきに	暢気に	unconcernedly
モグモグ, パクパク		mumble, munch (onomatopoea to show the sound of eating greedily)
～ぞく	～族	group of ～
だいちょうがん	大腸がん	cancer of the colon
おどろくべき	驚くべき	surprising, extraordinary, terrible
しょき	初期	early stage
じかくしょうじょう	自覚症状	subjective symptom
しんこうする	進行する	get worse
はやめに	早めに	early
なによりも		the most
しぼうぶん	脂肪分	fat
とうぶん	糖分	sugar
しょくもつせんい	食物繊維	food fiber
やさい	野菜	vegetable

かいそう	海藻	seaweed
こんにゃく		paste made from the starch of devil's‐tongue (kind of Japanese food)
というのは		because
どうしても		surely, at any rate
～がち		tend to ～, be inclined to ～
ふくむ	含む	contain
たんぱくしつ	蛋白質	protein
ぼうふざい	防腐剤	preservative
はつがんぶっしつ	発癌物質	cancer‐causing agent
ビタミンC		vitamin C
たっぷり		plenty, enough
えいよう	栄養	nourishment
かんてん		Japanese gelatin
ひごろから	日頃から	always
ほっと(する)		(feel) relieved
ひといき(つく)	一息(つく)	(take) a rest
しめる	湿る	get damp
かかせない	欠かせない	indispensable
よう～	要～	need to ～
ちゅうい	注意	care
かび		mold
みじかな	身近な	essential, necessary
こうせい	構成	composition
いちかわまさみ	市川まさみ	(full name of a person)
おしゃべり		talk, chat

B　プロ野球について聞く

アリス（女性）が加藤（男性），山口（男性），山田（女性）に日本のプロ野球のことを
教えてもらう。

プロ野球	プロやきゅう	professional baseball
どうあげ	胴上げ	tossing (a person) into the air
せんしゅ	選手	player
まるで～みたい		as if ～
かんとく	監督	manager
まける	負ける	lose
（ご）きげん	（ご）機嫌	mood
ジャイアンツ		Giants (name of a professional base-ball team)
ゆうしょうする	優勝する	win (the pennant)
プロ		professional
サッカー		soccer
チーム		team
セントラルリーグ		Central League
パシフィックリーグ		Pacific League
わかれている	分かれている	be divided
リーグせん	リーグ戦	league game
しあい	試合	game
ちゅうにち	中日	(name of a professional baseball team)
ひろしま	広島	(name of a professional baseball team)
たいよう	大洋	(name of a professional baseball team)
ヤクルト		(name of a professional baseball team)
はんしん	阪神	(name of a professional baseball team)
ファン		fan
ちほう	地方	area, region
ぜんこくてきに	全国的に	nationwide, all over the country
にんきがある	人気がある	popular

かつ	勝つ	win
きょじん	巨人	Giants
アンチきょじん	アンチ巨人	anti-Giants
にほんシリーズ	日本シリーズ	Japan Series
せいぶ	西武	(name of a professional baseball team)
りょうほう	両方	both
よんしょう	4勝	four wins
かち	勝ち	winner
じしん	自信	confidence
1たい0	1対0	1 to 0
きよはら	清原	(family name of a player)
ホームラン		home run
かい	回	inning

胴上げ（日本経済新聞社　提供）

C　貸し借り

　　原（男性），山田（女性），佐藤（男性），山口（女性）は同じ研究室の仲間である。原と
　佐藤は同じクラブに所属している。

バス（を）１だいおくらす	バス（を）１台遅らす	decide to take the next bus
こうばん	交番	police box
なさけない	情け無い	miserable, pitiful
ことづかる		be entrusted（with）
わたす	渡す	hand, give
あいつ	あの奴	that fellow, he/she
ここんとこ		＝ここのところ, these days
えひめ	愛媛	（name of a prefecture）
もちあるく	持ち歩く	carry around
さぼる		skip

（handwritten notes: あの野郎　from French SABOTAGE）

バス停

読む練習

四月十日、ボストンコモンにて

地下鉄を出ると雨だった。風邪気味の息子を連れてきたことを後悔する。目的の場所まで行くには公園を二つ横切らなければならない。ここはボストンのど真中、パークストリート駅。相変わらず混んでいる。

通りを横切った所にタクシー乗り場があるのを思い出し、息子の手を引いて小走りに走った。タクシーにたどり着いたがドアを開けてくれない。

「ニューバリー通りに行きたいんですが……。」

運転手は私の目を見て黙っている。しばらくタクシーには乗っていない。ボストンも東京並に乗車拒否がでてきたかと、

「近すぎて悪いけどお願いします。」

運転手、何か言いたげにニヤニヤしている。変なタク

シーをつかまえてしまった。雨はだんだん激しくなる。息子の体に覆いかぶさるようにして、雨はだんだん激しくなる。

「息子は風邪を引いているんです。この雨の中、公園を二つ横切って歩かせるわけにはいきません。」

哀願から意地になってきた。運転手はまだニヤニヤしている。私は、この運転手に何かしゃべらせなきゃならないと思い、黙って相手の目を見つめて返事を待つ。運転手、やっと重い口を開き、

「この駅でグリーン線に乗って二つ目で降りればニューバリー通りの入り口なんだが……。」

そんなこと分かっている。わざわざ地下鉄に戻って電車を待つ間にタクシーで走れば着いてしまうから、こうして雨の中、頼んでいるというのに。私の腹は煮えたぎってきた。しかし、この運転手、乗車拒否らしきことは一言も言わず、手や頭を振るような仕草もしない。ただニヤニヤするばかりで、どうも調子はずれだ。もうこれ以上、運転手の笑顔を見てばかりはいられない。ままよ、と勝手にドアを開けて、息子を先に押し込み、自分も乗り込んだ。

タクシーはスーと動き出した。どうせ走るなら、もっとスンナリ承知すればいいものを、おかげで服はビショ濡れ。息子の風邪が心配だ。憤懣（ふんまん）やるかたなき思いで息子の濡れた髪を拭いていると、

「どこから来たの。」

「日本。ボストンには十年住んでいる。」

憮然として答える。運転手、バックミラーで盛んに後ろの席を見る。全くおかしなやつだ。

「しかし、よく雨が降るね。」

だから、タクシーをひろったのだ。

「坊や何歳だい。学校はどうしたの。」

学校を休ませても来なくちゃならない用事があったのだ。この運転手、乗車した途端にしゃべりだした。チップをはずんでもらいたいんだな。

「日本でもポリスに頼めば、こうして乗せて連れてってくれるのかい。」

わが息子、追い打ちかけるように、

「ぼく、ポリスカーに乗るの初めてだ！」

（グライムス佐知子「四月十日、ボストンコモンにて」
和田誠編『心がポカポカする本』NTT出版　より）

単 語 表

風邪気味	かぜぎみ	having a slight cold
後悔する	こうかいする	regret
小走りに	こばしりに	at a trot, (run) with short steps
黙る	だまる	keep silent
～並に	～なみに	the same as ～
乗車拒否	じょうしゃきょひ	refuse to accept a passenger (in a cab)
覆いかぶさる	おおいかぶさる	cover ～ with (a body)
哀願	あいがん	appeal
意地になる	いじになる	be stubborn, do not give in
戻る	もどる	get back, return
腹が煮えたぎる	はらがにえたぎる	feel furious anger
振る	ふる	shake
仕草	しぐさ	gesture
笑顔	えがお	smile
勝手に	かってに	without having an agreement
承知する	しょうちする	agree, accept
ビショ濡れ	ビショぬれ	being wet through, soaking wet
髪	かみ	hair
拭く	ふく	dry, wipe
憮然として	ぶぜんとして	unhappily, angrily
盛んに	さかんに	many times
坊や	ぼうや	little boy (of others)
途端に	とたんに	as soon as, right after

第 11 課

ほめる・けんそんする

○きょうの発表よくわかりました，わたしにも。

○勉強になりました。

○あれだけたくさんデータを集めるのはたいへんだっ
たでしょうね。

○井上先生の指摘はきびしかったなあ。

○するどかったですね。

○さすがだなあ。

○日本語うまくなったね。

○わたしなんかとてもあんなふうにはまとめられませ
ん。

○そんなことないよ。

○そんなに言われるとてれちゃうなあ。

○いや，それほどでもないよ。

○そんなことありません。まだまだです。

○ゼミで議論になると，ついてけないんです。

会　話

会話　1　ゼミ室で

　　　　　小川：　キムの先輩

キム：　小川さん，きょうの発表よくわかりました，わたしにも。

小川：　そう，それはよかった。

キム：　わたしなんかとてもあんなふうに⁽¹⁾はまとめられません。

小川：　そんなことないよ。

キム：　いえ，本当に勉強になりました。

小川：　そんなに言われるとてれちゃうなあ。

キム：　あれだけたくさんデータを集めるのはたいへんだったでしょうね。

小川：　いや，それほどでもないよ。

キム：　そうですか。でも，たのむ時の表現ってたくさんあるもんなんですね。

小川：　まあね。うん。

キム：　あの時，キムさんの国ではどうですかって，突然聞かれて困っちゃいました。

小川：　ああ，シルバさんの質問ね。

キム：　あんなふうに客観的にみたことがなかったもんですから。

小川：　うん。でも，井上先生の指摘はきびしかったなあ。

キム：　ええ，するどかったですね。

小川：　さすがだなあ。⁽²⁾

会話　2

　　　　小川：　シルバの先輩

小川　　：　シルバさん，日本語うまくなったね。

シルバ：　そんなことありません。まだまだです。

小川　　：　そうかな。

シルバ：　ゼミでも，発表してるうちはいいんですけど，議論になると，ついて
　　　　　　けないんです。

小川　　：　そう。

シルバ：　それに，言葉の使い方もわからないことがあるし。

小川　　：　ふうん。何か失敗したことでもあったの。

シルバ：　ええ。この前研究会があった時，入口に人がたくさんいたんですね。

小川　　：　うん。

シルバ：　それで,「向こうの席へ引っ越してください」って言っちゃったんです。

小川　　：　そりゃおもしろいな。

シルバ：　そうしたら，みんな一瞬わからなかったみたいなんですけど，ちょっ
　　　　　　としてから笑いだしたんですよ。

小川　　：　そりゃそうだろうね。

シルバ：　言う前にどう言おうかと思ってましたから，言った後，これでよかっ
　　　　　　たかなあと思ったんですけど。

小川　　：　その結果笑われたわけか。

シルバ：　ええ。でも，笑われているうちに，じょうずになるんですよね。

小川　　：　まあね。でも，笑うのはよくないな。

シルバ：　ええ。

小川　：　でも，ちょっといい。

シルバ：　何ですか。

小川　：　今ね，「じょうずになる」って言ったでしょ。

シルバ：　ええ。

小川　：　あれ，「じょうずになる」だよ。

シルバ：　あっ，そうだった。「じょうずになる」ですね。どうもありがとうござ
　　　　　います。

会話ノート

1. Vocabulary list

ほめる		admire, praise
けんそんする		humble

<会話1>

ゼミ室	ぜみしつ	seminar room
小川	おがわ	(family name)
発表	はっぴょう	presentation
～なんか		(used to humble oneself in this context)
～ふうに		like ～
まとめる		put (things) in order
勉強になる	べんきょうになる	be a good lesson
てれる		feel embarrassed
データ		data
集める	あつめる	collect, gather
客観的な	きゃっかんてきな	objective
井上	いのうえ	(family name)
指摘	してき	pointing out
きびしい		strict
するどい		sharp
さすが		as one expects

<会話2>

うまく		well
そんなことありません。		Not that well!
まだまだです。		I'm still learning.
議論	ぎろん	discussion
ついていく		follow
失敗する	しっぱいする	make a mistake
席	せき	seat
一瞬	いっしゅん	at the moment
ちょっとしてから		shortly after
笑う	わらう	laugh
笑いだす	わらいだす	begin to laugh

2．Expressions

(1)　～ふうに　（way, manner）

"～ふうに" is often modified by "こんな, そんな, あんな" or "どんな", and shows the similarity of the way, manner or situation. The meanings of "こんなふうに, そんなふうに, あんなふうに," and "どんなふうに" are the same as "このように, そのように, あのように" and "どのように" respectively, but the former are more colloquial than the latter.

(2)　さすが　（as may be expected or assumed）

This is an adverb which is used to express one's feeling when a person or a thing has turned out to be as one has expected or assumed. When it modifies a verb or an adjective, occasionally it is followed by "に."

（例）　1．10年も勉強しているので，さすがに上手ですね。
　　　　2．あんなに大きい家が買えるなんてさすがですね。

3．Aspects of the discourse

「のだ」について（1）

1．"のだ" is used to ask for an explanation about information shared with the listener. The information is what the speaker and the listener have observed or heard, and is often what the speaker hasn't expected.

If you ask someone "ねむいですか," you are simply asking if he/she is sleepy. But if you say "ねむいんですか," you are implying that the other person looks sleepy or bored or something similar. Thus if you use this form in asking a question, you will be asking the reason for a certain situation rather than asking for simple information.

2．"のだ" is used when the speaker is explaining about information shared with the listener. The information is what the speaker and the listener have observed or heard.

If you say "病気です," you just state someone's condition. But if you say "病気なんです," you are explaining the reason why he/she cannot attend the meeting or why he/she cannot concentrate on studying in the class, or the like.

See the following dialogue.

（例）　A：　頭がいたいんですか。

B： ええ。かぜなんです。

A uses "のだ" because he/she is asking for an explanation about what he/she sees B doing. B also uses "のだ" because he/she is explaining his/her action.

3. "のだ" is frequently used in an interrogative sentence with a question word. This "のだ" shows a desire to have additional information or some explanation for a fact which the speaker and the listener have already known, because the answer given by the listener might have some influence on the speaker's thinking, action, or feeling. Note that a certain amount of information which the speaker and the listener have already observed or heard is presupposed for using "のだ."

（例）A： わあ，すてきなセーターね。
　　　B： そう。
　　　A： どこで見つけたの，こんなすてきなの。
　　　B： うん。うちのちかくの店。

In conversation, "のだ/のです" often change to "んです/んだ/の" as shown below.

		formal	informal
verbs	行きます	行くんです	行くんだ* 行くの**
	行きました	行ったんです	行ったんだ* 行ったの**
-i adjectives	いたいです	いたいんです	いたいんだ* いたいの**
	いたかったです	いたかったんです	いたかったんだ* いたかったの**
-na adjectives	ひまです	ひまなんです	ひまなんだ* ひまなの**
	ひまでした	ひまだったんです	ひまだったんだ* ひまだったの**
noun ＋ だ	学生です	学生なんです	学生なんだ* 学生なの**
	学生でした	学生だったんです	学生だったんだ* 学生だったの**

*used only by men
**used by both men and women

Whether a sentence ending with "の" is declarative or interrogative depends on the intonation.

[Note]　You should be careful in using the "んです" form for questions, because this form is used to ask the reason for a certain situation rather than asking for simple information, and also because it can imply various emotions such as concern, surprise, irritation, and criticism which would be indicated by the speaker's intonation.

文　法

I．Time expressions

A．Nouns such as "前, 後, うち, 時, 間" and so on are modified by a clause, and are usually followed by a particle. The whole structure is the subordinate clause of the sentence. The sentence is as follows.

[Clause 1 + Noun + particle, Clause 2]

B．Usage

1．"Clause 1 + 前に, Clause 2"

The matter or action mentioned in Clause 2 occurs first, and the action in Clause 1 follows it. The form of the verb in Clause 1 is imperfective.

（例）1．薬を飲む前に, 何か食べてください。
2．日本へ来る前に, 日本の文化について少し勉強しました。
3．会議が始まる前に, コピーしてきてください。

2．"Clause 1 + 前は, Clause 2"

In this structure, Clause 2 often expresses a condition or a situation of someone or something that existed before the matter mentioned in Clause 2 occurs.

（例）1．日本に来る前は, 日本について何も知りませんでした。
2．授業が始まる前は, とてもひまでした。
3．電話をする前は, 心配でした。

3．"Clause 1 + time expression + 前に, Clause 2"

A subordinate clause ending with "前に" shows the time when Clause 2 occurs.

（例）1．試験が始まる30分前に, 急におなかがいたくなりました。
2．出発する1日前に, 電話がかかってきました。
3．ここへ来る1年前に, 自動車の運転を始めたんです。

4．"Clause 1 (negative form of a verb) + うちに, Clause 2"

The meaning of the sentence in this form is similar to the meaning of the sentence introduced in B-1 which contains "前に." However, in this form, Clause 2 implies that if someone does not do the action indicated in it, some trouble might occur. For example, the sentence "わすれないうちに電話番号を書いた。(I wrote down the phone number within the time I did not forget. 〈lit.〉)" implies that someone would have trouble if he/she forgot the number.

（例）　1．くらくならないうちに帰りたいと思います。
　　　　2．しかられないうちにやめたほうがいいですよ。
　　　　3．悪くならないうちに病院に行けばよかったのに。

5．"Clause 1 (affirmative form of a verb) ＋ うちに，Clause 2"
The usage is the same as B-4; the difference is the form of the verb in the first clause. Take example 1 in B-4. The sentence "くらくならないうちに帰りたいと思います。(I'd like to go home before it gets dark.)" has the same meaning as "あかるいうちに帰りたいと思います。(I'd like to go home in daylight.)."

（例）　1．つめたいうちに飲んでください。
　　　　2．元気なうちにこの仕事をやってしまわなければなりません。

This form of the sentence which has "うちに" can also express the meaning that while the situation which Clause 1 indicates is continuing, some result which Clause 2 expresses is obtained.

（例）　1．毎日練習しているうちに，きっと上手になるでしょう。
　　　　2．デートしているうちに，だんだん好きになってきました。

6．"Clause 1 ＋ あいだに，Clause 2"
The meaning is similar to "うちに" used in B-5. The only difference is that "うちに" shows the continuation of the action indicated in Clause 1, but "あいだに" shows the period of time when the matter indicated in Clause 2 takes place.

（例）　1．家をるすにしているあいだに，どろぼうに入られました。
　　　　2．だれもいないあいだに，ゆっくり本を読みます。
　　　　3．ちょっと待っていてください。そのあいだに作りますから。

7．"Clause 1 (perfective form of a verb) ＋ あとで，Clause 2"
"Clause 1 ＋あとで" shows the time when Clause 2 occurs. The matter indicated in Clause 1 always happens first.

（例）　1．電話したあとで，会いに行きました。

　　2．会議が終ったあとで，いつも喫茶店に行きます。

　　3．あした授業が終ったあとで，お電話いたします。

8．"Clause 1（-て form of a verb）＋ から，Clause 2"

The usage is similar to "あとで." While "あとで" is used for showing the fact rather objectively, "-てから" is used more subjectively and colloquially. "-てから" also shows that Clause 2 happens almost immediately after Clause 1 occurs.

（例）1．この箱は家へ帰ってからあけてください。

　　　2．こどもがねてから出かけましょう。

Note that "-てから, time expression ＋ になる" is always used, but "-たあとで, time expression ＋ なる" cannot be used.

（例）1．日本に来てからどのくらいになりますか。

　　　2．日本語の勉強を始めてから，５年になります。

9．"Clause 1 ＋ とき（に），Clause 2"

Clause 1 shows the time when the condition or action which is mentioned in Clause 2 occurs.

（例）1．ごはんを食べているときに，ルインさんが来ました。

　　　2．こんどひまなときに，いっしょに映画を見に行きましょう。

　　　3．この時計は，大学を出たときに，父にもらったものです。

Note the form of the verb used in the first and the second clauses. When the action shown in the second clause occurs earlier than the action in the first clause, the imperfective form of the verb is used in the first clause as seen in Example 1-a below. If the action shown in the first clause happens earlier than the action in the second clause, the perfective form of the verb is used in the first clause as in Example 1-b.

（例）1．a．家に帰るときにコートを着ます。

　　　　　b．家に帰ったときにコートをぬぎます。

　　　2．a．東京に行くときに電話します。（東京ではないところで電話する）

　　　　　b．東京に行ったときに電話します。（東京で電話する）

"ときに" and "-たら" seem to be similar, but they are different. "Clause ＋ときに" indicates a specific time such as "3時に(at three o'clock)" or "水曜日に（on

Wednesday)," while "-たら" shows either a condition or an accidental connection between the two actions shown in the two clauses. There is a more detailed explanation of "-たら" in Lesson 9 in "A Course in Modern Japanese Vol. III."

（例） 1．a．今いそがしかったら，あとで電話してください。
　　　　 b．いそがしいときに，また電話がかかってきました。
　　　 2．a．生協に行ったら，本を安く売っていました。
　　　　 b．生協に行ったときに，本を安く売っていました。（avoid）

II．Usage of "は"

A．Position of "は"

"は" is used in seven different positions in a sentence.

1．After a noun ＋ Group 1 particle
This "は" is used in the same way as "も." That is, if the particle is either "が" or "を" and is followed by "は," "が" or "を" drops out. But other Group 1 particles remain before "は."

（例） 1．今日はルインさんの誕生日です。
　　　 2．ジュースは飲みましたが，ビールは飲みませんでした。
　　　 3．電話は，中村さんからはありましたが，山田さんからはまだです。

2．After an adverb

（例） 1．東京はいま 3 時です。
　　　 2．あしたはどこにも行かないで，家におります。
　　　 3．ゆっくりは話せますが，はやくは話せません。

3．After a counter
In this case "は" means "at least."

（例） 1．東京まで 3 時間はかかると思いますよ。
　　　 2．A：漢字は一日にいくつぐらいおぼえられますか。
　　　　 B：そうですね。十はおぼえられるでしょうね。

4．After a verb base

（例）1．A： あした来ますか。
　　　　　B： ええ。でも，来はしますが，仕事はしないつもりです。
　　　　2．A： へんなものを食べたんじゃありませんか。
　　　　　B： へんなものなんて食べはしませんよ。

5．After an adverbial form of an -い adjective（=-く form）

（例）1．A： 試験，どうでした。
　　　　　B： そうですね。むずかしくはなかったんですが，数が多くて。
　　　　2．A： 銀行のよこのレストラン，どうですか。
　　　　　B： 安くはないんですが，味はいいですよ。

6．After either a noun or -な adjective ＋ で
This "では" is sometimes changed to "じゃ" in conversation.

（例）1．A： あたらしいアパートはどうですか。
　　　　　B： しずかではあるんですが，とおくてちょっと……。
　　　　2．A： ルインさんの専攻は数学ですか。
　　　　　B： いえ，数学じゃなくて経済です。

7．After either the -て form of a verb, an -い adjective or です
It indicates a condition which leads to disapproval in the following clause.

（例）1．たばこばかりすっていては，からだをこわしますよ。
　　　　2．英語ばかり話しては，日本語は上手になりません。
　　　　3．こんなにむずかしくては，だれもできません。
　　　　4．こんなにむずかしい問題では，みんな0点ですよ。

B．Usage of "は"

1．It comes after a noun or nominal and indicates the topic of a sentence.

（例）1．A： 今週のニューズウィークをお持ちですか。
　　　　　B： すみません。今週のはルインさんにかしてしまいました。
　　　　2．むかし小さな町に王様がすんでいました。王様は毎日何もすることがありませんでした。ある日王様は……。

2．It shows a contrast or comparison of two things or matters.

　（例）1．今日は行きませんが，明日は行きます。
　　　　2．その話は聞きはしましたが，今はおぼえていません。
　　　　3．A：　行きましたか。
　　　　　　B：　ええ。行ってはみましたが，つまらないものばかりでした。

3．When "は" is used in a negative sentence, the word or thing which is right before "は" is often negated as shown in the following two sentences.

　　a）　きのうは図書館に行きませんでした。
　　b）　きのう図書館には行きませんでした。

Sentence a) above means that "I often go to the library, but I did not go yesterday," and "は" negates "きのう." Sentence b) shows that "I went some place yesterday, but I did not go to the library," and "は" negates "図書館."

4．"は" is sometimes used to emphasize the matter in a negative sentence as seen in Example A-4. This often appears in conversation and the sound sometimes changes as shown below.

見る	－	見	－	見は	→	見や
買う	－	買い	－	買いは	→	買や
書く	－	書き	－	書きは	→	書きゃ
話す	－	話し	－	話しは	→	話しゃ
待つ	－	待ち	－	待ちは	→	待ちゃ
死ぬ	－	死に	－	死には	→	死にゃ
飲む	－	飲み	－	飲みは	→	飲みゃ
ふる	－	ふり	－	ふりは	→	ふりゃ
ぬぐ	－	ぬぎ	－	ぬぎは	→	ぬぎゃ
とぶ	－	とび	－	とびは	→	とびゃ
来る	－	来	－	来は	→	来や
する	－	し	－	しは	→	しゃ

　（例）1．こんな寒いのに，遠くに行きゃしませんよ。
　　　　2．アルコールなんか飲みゃしませんよ。

練　習

1．用法練習

＜1＞（目上の人からほめられ，けんそんする場合）
　　　会話の下線のある部分を，下の1〜5の言い方にかえて練習しなさい。

これでうまくいく
　　　　［A…Bの先輩（女性）］
　A：　今度のこれ，なかなかいいわよ。
　B：　そうでしょうか。
　A：　ここのところなんか，よく考えたわねえ。
　B：　そうですか。でも，これでうまくいくかどうか……。
　A：　だいじょうぶよ。

　　　　1．いい結果が出る
　　　　2．予算がたりる
　　　　3．うまくまとめられる
　　　　4．締切りまでにできる
　　　　5．みんなが賛成してくれる

予算	よさん	budget
たりる		be enough
まとめる		put in order, complete
締切り	しめきり	deadline
賛成する	さんせいする	agree

＜2＞会話の下線のある部分を，下の1～5の言い方にかえて練習しなさい。

　　すごくおもしろいお話だ
　　　　［A…学生　B…Aの先輩］
　　A：　先輩，さっきなさった発表についてなんですが。
　　B：　うん，何。
　　A：　もう少しくわしくうかがってもいいですか。すごくおもしろいお話だと思ったもん
　　　　ですから。

　　　　　1．わたしも勉強したい
　　　　　2．データをうまく使っていらっしゃる
　　　　　3．分析の方法がおもしろい
　　　　　4．いい資料を集めていらっしゃるなあ
　　　　　5．新しい方向が示されている

発表	はっぴょう	presentation
すごく		very, extremely
分析	ぶんせき	analysis
方向	ほうこう	direction

— 44 —

＜3＞会話の下線のある部分を，下の1〜8の言い方にかえて，気持ちを考えながら練習しなさい。そのあと，(1)〜(5)のようにほめられた場合の答えを考えて，練習しなさい。

A：　うわぁ，いい車ね。
B：　そうお。ありがとう。

1．うん，まあね。	5．それほどでもないよ。
2．そう思う。	6．うん，でも色がちょっとね。
3．でしょ。わたしも気にいってんの。	7．うん，でもこれ中古なのよ。
4．だろ。やっと買えたんだ。	8．うん，いいことはいいんだけど。

（満足な気持ちを表す場合）　　　　　（けんそんしたり，やや不満な気持ちを表す場合）

(1)　すてきなくつね。色もいいし。
(2)　おめでとう。試験受かったんだって。すごいなあ。
(3)　きれいにしてるのね，部屋の中。さすがあ。
(4)　すごいステレオだね。自分でくみたてたんだって。
(5)　うわあ，いい写真ね。じょうずじゃない。

満足な	まんぞくな	be satisfied, content
不満な	ふまんな	be dissatisfied
中古（の）	ちゅうこ（の）	used

2．談話練習

場面練習

　次の会話を練習しなさい。

＜1＞　　Aはビールを，Bはジュースを飲んでいます。
　　　　　　Aは Bがジュースを飲んでいるのを見て……。
　1）A：　お酒は，飲まないんですか。
　　　B：　ええ。
　　　A：　お車なんですか。
　　　B：　ええ，そうです。

　2）A：　あ，お酒は……。
　　　B：　ええ，まだ 18 さいなんです。
　　　A：　ああ，そうですか。まじめですね。

＜2＞　　Aは昼ごはんを食べに行くとちゅうでBに会って……。
　　　A：　どこ行くの。
　　　B：　昼ごはん。いっしょに行かない。
　　　A：　うん。どこで食べるの。
　　　B：　生協。

練　習

　次の会話を練習しなさい。

＜1＞　1）　　Bはきのうまで長いかみでしたが，きょうはとても短くなっています。
　　　　　　　　Aはかみの短くなったBをきょうはじめて見て……。
　　　　　A：　あ，かみ，きったの。
　　　　　B：　ええ。
　　　　　A：　かわいい。
　　　　　B：　そう。ありがとう。

　　　2）　1）と同じ場面
　　　　　A：　あ，かみ，きったの。
　　　　　B：　うん。にあわない。
　　　　　A：　うん。にあうけど，ぼく，前のほうが好きだな。
　　　　　B：　あ，そう。

3）　AはBの母親。BはAにかみを短くするように言われて床屋に行きました。
　　Aは床屋からもどってきたBを見て……。
A：　あ，おかえり。
B：　ただいま。
A：　あ，なにそれ。
B：　なにって。
A：　それで，かみ，きったの。
B：　うん。
A：　うそ。

＜2＞1）　A：先生　　　B：学生
A：　それ，いいネクタイだね。
B：　いいえ，そんな。
A：　たかそうだしね。
B：　いいえ，あのう，もらったんです。

2）　AはBが帰りそうなのを見て……。
A：　あ，ちょっと待って。
B：　なあに。
A：　ちょっと，はなしがあるの。
B：　うん，いいよ。

3）　Aはパーティーに山田さんが来ていないのに気がついて……。
A：　山田さん，来てませんね。
B：　たぶん，いそがしいんでしょ。
A：　どうして。
B：　あしたから，テストなんだそうです。
A：　あっ，そう。

＜3＞1）　AはBと昼ごはんをいっしょに食べに行くところです。
A：　どこ行く。
B：　生協行こうか。
A：　ええ，生協行くの。
B：　どうして。
A：　生協でなに食べるの。
B：　そんなにまずい。
A：　まずい。まずい。
B：　じゃあ，どこがいいの。
A：　うん。

　2）　ＡはＢが元気がないのを見て……。

　　　Ａ：　ねえ，どうしたの。元気ないじゃないの。

　　　Ｂ：　あの人とけんかしちゃった。

　　　Ａ：　え，どうしてなの。

　　　Ｂ：　だって，失礼な人なのよ。

　　　Ａ：　いったいなにがあったの。

　　　Ｂ：　わたしがころんだのに，ただ笑っているだけなの。

　3）　　Ａ：　先生　　　Ｂ：　学生

　　　Ａ：　近いうちにみんなでスキーにいきましょう。

　　　Ｂ：　わあー。うれしい。先生，いつ行くんですか。

　　　Ａ：　いや，まだ決まってないけど。

　4）　　Ａ：　先生　　　Ｂ：　学生

　　　Ａ：　近いうちにインタビューテストをしましょう。

　　　Ｂ：　ええ。いつあるんですか。

　　　Ａ：　まだ，いつやるか決めてないけど。

3．文法練習

<1>「～うちに」の練習　（I-B-4, 5）
　1）例にならって，下の1～10の下線部に適当なことばを入れ，会話の練習をしなさい。

　　例　A：　さめないうちに，飲んだら。
　　　　B：　そうね。

　　1．忘れないうちに ＿＿＿＿＿＿＿＿＿＿＿＿＿＿＿＿＿＿＿＿＿＿。

　　2．暗くならないうちに ＿＿＿＿＿＿＿＿＿＿＿＿＿＿＿＿＿＿＿＿。

　　3．ねむくならないうちに ＿＿＿＿＿＿＿＿＿＿＿＿＿＿＿＿＿＿＿。

　　4．見つからないうちに ＿＿＿＿＿＿＿＿＿＿＿＿＿＿＿＿＿＿＿＿。

　　5．寒くならないうちに ＿＿＿＿＿＿＿＿＿＿＿＿＿＿＿＿＿＿＿＿。

　　6．しかられないうちに ＿＿＿＿＿＿＿＿＿＿＿＿＿＿＿＿＿＿＿＿。

　　7．雨にならないうちに ＿＿＿＿＿＿＿＿＿＿＿＿＿＿＿＿＿＿＿＿。

　　8．なくならないうちに ＿＿＿＿＿＿＿＿＿＿＿＿＿＿＿＿＿＿＿＿。

　　9．授業が始まらないうちに ＿＿＿＿＿＿＿＿＿＿＿＿＿＿＿＿＿＿。

　　10．とけないうちに ＿＿＿＿＿＿＿＿＿＿＿＿＿＿＿＿＿＿＿＿＿＿。

暗くなる	くらくなる	get dark
見つかる	みつかる	be found
しかる		scold
なくなる		be used up, be lost, disappear
とける		melt

2）会話の下線のある部分を，下の1～5の言い方にかえて練習しなさい。

データ（を）整理する
　A：　おはよう。
　B：　あら，どうしたの，ねむそうな顔して。
　A：　うん，ゆうべデータ，<u>整理し</u>てるうちに，夜が明けちゃって……。

　　　1．ビデオ（を）見る
　　　2．レポート（を）書く
　　　3．本（を）読む
　　　4．調べもの（を）する
　　　5．友だちと話しこむ

整理する	せいりする	put（something）in order, arrange
ねむい		sleepy
夜が明ける	よがあける	become dawn, day breaks
調べもの	しらべもの	looking up a reference
話しこむ	はなしこむ	be absorbed in talking

＜2＞「-てから/-たから」の練習　（I-B-8）
　　会話の下線のある部分を，下の１〜５の言い方にかえて練習しなさい。

　する，準備する
　　A：　この間の原稿，ありがとう。
　　B：　いいえ。急いで<u>した</u>から，ちょっと……。
　　A：　ううん，なかなかよかったよ。
　　B：　そうですか。今度はもっといろいろ<u>準備して</u>からします。

　　　　　1．まとめる　　　　考える
　　　　　2．仕上げる　　　　調べる
　　　　　3．書く　　　　　　専門家に聞く
　　　　　4．始める　　　　　資料を集める
　　　　　5．テーマを選ぶ　　読む

　　　　原稿　　　　　　　げんこう　　　　　manuscript
　　　　急いで　　　　　　いそいで　　　　　hurriedly
　　　　まとめる　　　　　　　　　　　　　　put （something） to-
　　　　　　　　　　　　　　　　　　　　　　gether

　　　　仕上げる　　　　　しあげる　　　　　finish
　　　　専門家　　　　　　せんもんか　　　　specialist
　　　　集める　　　　　　あつめる　　　　　collect
　　　　テーマ　　　　　　　　　　　　　　　theme

聞く練習

A　座談会：企業がのぞむ人材

座談会	ざだんかい	round table discussion
企業	きぎょう	enterprise
のぞむ		expect
人材	じんざい	manpower
じっさい（の）	実際（の）	actual
にゅうしゃしけん	入社試験	employment exam
じゅうしする	重視する	value, take ~ important
めんせつ	面接	interview
いっちする	一致する	match, be the same
ひょうか	評価	evaluation
ぎじゅつけい	技術系	engineering field
むくち（な）	無口（な）	quiet, reticent
くちべた	口べた	poor talker
やるき	やる気	positive will, agressiveness
せいぞうぎょう	製造業	manufacturing business
きゅうじんなん	求人難	difficulty in finding workers
むじょうけん	無条件	without any condition
きょうじゅ	教授	professor
すいせん	推薦	recommendation
きそてきな	基礎的な	basic, fundamental
のうりょく	能力	ability, capability
くんれんする	訓練する	train
げんかい	限界	limit
トップレベル		top level
きょうそうする	競争する	compete
かくほする	確保する	obtain
よほど		exceptionally（large number）
べつ（な）	別（な）	different
じむけい	事務系	office work in general
つとまる	勤まる	be able（to continue）to work
てんきん	転勤	transfer
ためす	試す	try

よらばたいじゅのかげ	寄らば大樹の陰	If you need a shelter, choose a big tree.（lit.）
かたい	堅い	serious
こくさいてき（な）	国際的（な）	international
かんきょう	環境	environment
へんか	変化	change
じゅうなんに	柔軟に	flexibly
たいおうする	対応する	cope with
せっきょくてきに	積極的に	positively, agressively
きほんてきに	基本的に	basically
サービスぎょう	サービス業	service industry
せいかく	性格	personality, character
のぞましい	望ましい	desirable
きょうちょうせい	協調性	cooperativeness
きょうつうする	共通する	have (something) in common
うちこむ	打ち込む	try hard, struggle for
かんげいする	歓迎する	welcome
サークル		circle
よのなか	世の中	world
あれやこれや		this and that
やつ	奴	fellow, guy
しゅうしょく	就職	getting a job with a company
じょうほう	情報	information
はんらんする	氾濫する	overflow
ビクビクする		become timid
おもいきった	思い切った	bold, brave

B リフレッシュ体操をする

リフレッシュ		refresh
体操	たいそう	physical training
～のあいまに	～の合間に	in the interval between ～
しどう	指導	guidance
とうといかだいがく	東都医科大学	(name of a medical college)
ようつう	腰痛	backache
よぼうする	予防する	prevent
20 だい	20 代	in one's twenties
デスクワーク		desk work
うんどうぶそく	運動不足	not enough physical exercise
きんにく	筋肉	muscle
(いすに)あさく	(椅子に)浅く	on the edge of (a chair), forward
こしかける	腰掛ける	sit
しせい	姿勢	posture
へこます		pull back
いき	息	breath
すう	吸う	inhale
せなかをぴんとのばす	背中をぴんと伸ばす	straighten one's back
たいじゅうをかける	体重をかける	rest one's weight on
せすじ	背筋	back
やや		somewhat
ふくしきしんこきゅう	腹式深呼吸	deep abdominal breathing
あてる		put on
リラックスする		relax
おもいきり	思いきり	with all one's might
むねをはる	胸を張る	throw out one's chest
はく	吐く	exhale
まるめる	丸める	stoop
へそ		navel
のぞく		look at
そらせる	反らせる	bend backward
せもたれ	背もたれ	back part of a chair
うでぐみをする	腕組みをする	hold one's arms
じょうたい	上体	upper part of the body
とれる		disappear, be gone

C　京都旅行

山田（女性）が長谷川（女性）に，京都でとってきた写真を見せているところへ，先輩の原（男性）が入って来る。

長谷川	はせがわ	(family name)
さては……。		That means.......
さんぜんいん	三千院	(name of a famous temple in Kyoto)
れんきゅう	連休	successive holidays
しゅっしん（だ）	出身（だ）	be from
こうよう	紅葉	autumn tints
いわ	岩	rock
もみじ	紅葉	(red) maple leaves
ちる	散る	scatter, spread
ひるま	昼間	daytime
ひえこみ	冷えこみ	chilly
きつい		severe
じゃっこういん	寂光院	(name of a famous temple in Kyoto)
ひなびた		rural, rustic
～いり	～入り	having ～
ぜんたい	全体	all over
よこ	横	side
けずる		scrape off (something)
ぞうすい	雑炊	rice stew
めいぶつ	名物	special product of an area
さか	坂	slope
はなせん	花仙	(name of a restaurant)
～だん	～段	(counter for steps or things which can be piled up)
じゅうばこ	重箱	(containers used for putting some food in and which can be piled up)
きせつのあじ	季節の味	flavor of a season
もりこむ	盛り込む	put in
ボリューム		volume, large amount of
ねだん	値段	price
せっかく		with some effort, purposely
かっこいい		good looking, stylish

三千院

名前入りのコーヒーカップ

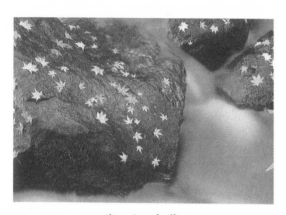

岩の上の紅葉

雑　炊（梅雑炊）

寂光院

重　箱

読む練習

「わかる」ということ

私たちは前章で、人類が文字や数字などのシンボルを使ってものごとを考えるにいたるまでの長い歴史を振り返った。人類が文字や数字を用いるにいたるまでの歴史と、それ以後の歴史とを考えてみると、文字や数字の文化の発達は、あまりにも急激だったといえよう。そのような急激な変革に、人類の生物的な進化が完全に追いついているはずがない。どこか、とてつもなく無理がかかっているにちがいないと思う。

小学校一年生の娘が、学校で足し算を習ってきた。ところが、彼女が見せてくれたテスト結果はさんたんたるもので、まるでわかっていない。

「算数の授業で、先生のいうことわかるの」
とたずねると、「ぜんぜんわかんない」とすずしい顔をし

ている。これは大変だ、学校へ入ったばかりでもう落ちこぼれているとなると、先が思いやられる。そこで、とりあえず、テストの最初に出てきた問題を考えさせてみた。

「3たす4はいくつ」
とたずねると、ぽかんとして何もしない。じれったくなって、

「どうした。指を使ってもいいよ」
といっても、不器用そうに指を折りまげているが、さっぱりらちがあかない。

そこで紙と鉛筆を持ってきて、小さな丸を三つならべ、その下に同じような丸を四つならべてかき、

「ここに3、ここに4だろう。全部でいくつ」
とたずねると、しばらくだまって見ていて、

「この丸はなあに」
と聞くではないか。あわてて、

「この丸はおまんじゅうだよ。おまんじゅうが三個と四個あって、あわせるといくつになるかということだよ」
といってやると、そうか、といって、

「一、二、三、四、五、六、七」と数え、「七個だ」といってにっこり笑った。

子どもが文字や数字を学校で「習う」とき、実は人類の何万年もかけた文化の歴史をわずか数時間でたどり直すわけである。当然のことながら、原始人のいだいた「おそれとおののき」に似たものが、子どもの心に再現される。

そのような「おそれとおののき」は、子どもの知的発達が未熟だから起こるのだといっていいのだろうか。子どもの「数の概念」が獲得されていないのだ、といえばことがすむのだろうか。子どもが学校の授業に「慣れて」くれば、そのようなものは自然に解消するのだから何の心配もない、というべきだろうか。

そうではない。「わかる」ということは、ああそうですか、そうやりゃあいいのですかということではない。「わかる」ということは、「……にもかかわらず、そうなのだ」ということである。「4という数と3という数が突然7という数になってしまう。そんな不思議なことがあっていいのか。そんなことをほんとうにたしかな事実としていいのか。

$3+4=7$

信頼し、それに頼っていいのか」このような不安、おそれとおののきにもかかわらず、たしかに、たしかに、それでいいと受け入れることが、「わかる」ということの本質だと思われる。このような「わかる」瞬間、私は人類の何万年もかけた文化の歴史がこの一瞬に凝集されていることを感じる。人はシンボルを使うことを知った。そして、シンボルを通して、本当のことがわかることを知ったのである。

（佐伯胖『コンピュータと教育』岩波新書 より）

単 語 表

前章	ぜんしょう	preceding chapter
人類	じんるい	mankind, human beings
振り返る	ふりかえる	look back upon
用いる	もちいる	use
急激な	きゅうげきな	rapid
変革	へんかく	change
とてつもない		extraordinary
足し算	たしざん	addition
さんたんたる		terrible
すずしい顔をしている	すずしいかおをしている	look unconcerned
落ちこぼれる	おちこぼれる	drop out
思いやられる	おもいやられる	feel anxious（about）
たす		add
じれったい		irritating
不器用な	ぶきような	clumsy
らちがあかない		make litte progress
鉛筆	えんぴつ	pencil
（お）まんじゅう		（a kind of Japanese cake）
あわせる		add
たどり直す	たどりなおす	retrace
おののき		trembling
未熟な	みじゅくな	undeveloped
概念	がいねん	concept
獲得する	かくとくする	get, obtain
慣れる	なれる	get used to
突然	とつぜん	suddenly
頼る	たよる	rely
瞬間	しゅんかん	moment
凝集する	ぎょうしゅうする	condense

第 12 課

文 句 を 言 う

○申し訳ありませんが，あのう，ステレオですか，音
が……。

○勝手なこと言うなあ。きのうマージャンしてたくせ
に。

○ちょっと，スライドって，何のスライド。

○どうして教えてくれなかったんだよ。

○ぼくも聞きたかったのになあ。

○スライド見ても，先生の話はわからないよ。

会　話

逆恨み — unjust grudge, from a person against whom one justly has a grudge
さか うら

会話　1　高橋さんの家

（玄関で）

ルイン　：　すみません。

高橋　：　はあい。あの，何か。

ルイン　：　あのう，申し訳ありませんが，あのう，ステレオですか，音が……。

高橋　：　あ，聞こえますか。

ルイン　：　ええ，すみません。じつは，今試験中なんです。それで……。

高橋　：　あ，そうですか。すみません，気がつきませんで。
　　　　　　　　　　　　　　　　　　　　　didn't realize it

ルイン　：　あと3日で終わりますから。

高橋　：　はい，わかりました。気をつけます。

◇　　　◇　　　◇　　　◇　　　◇

（居間で）

高橋（妻）：　あ，だめだめ，そんなに大きくしちゃ。

高橋（夫）：　え，どうして。

高橋（妻）：　きょうね，となりの学生さんに文句言われちゃったのよ。

高橋（夫）：　ふうん。何て。

高橋（妻）：　ステレオの音がうるさいって。

高橋（夫）：　そんなに大きいかな。

高橋（妻）：　ねえ。でも試験中でね，勉強に集中できないらしいのよ。
　　　　　　　　　　　　　　　　　　　しゅうちゅう concentrate

高橋（夫）：　ふうん。勝手なこと言うなあ。きのうマージャンしてたくせに。
　　　　　　　かって
　　　　　　　self-righteous

会話　2　研究室で

　　　　小林：　シルバとチュンの友だち

小林　　：　ねえ，きのうのスライド，もう一度見ない。

シルバ：　え，まだあるの。

小林　　：　うん，森先生，おいてってくださったんだよ。

シルバ：　そう。じゃ，見よう。先生，急いでらしたから，ゆっくり見られなかっ⁽³⁾
　　　　　　たし。

小林　　：　うん。じゃ，12番教室へ行こうか。

チュン：　ちょっと，スライドって，何のスライド。

小林　　：　うん，きのう森先生がいらしてね。

チュン：　へえ。あの横浜大学の。

小林　　：　うん。インドネシアでとってきたスライドを見せてくれたんだよ。

シルバ：　むこうの大学のお話なんかもしてくださったのよ。

チュン：　本当。どうして教えてくれなかったんだよ。

小林　　：　さがしたよ。でも，いなかったんだよ。

シルバ：　本当よ。わたしなんか4回も電話したのよ。

チュン：　そうか。ぼくも聞きたかったのになあ。

小林　　：　いまさらそんなこと言っても，はじまらないよ。いっしょにスライド⁽⁴⁾
　　　　　　見よう。

チュン：　でも，スライド見ても，先生の話はわからないよ。

小林　　：　だったら見るなよ。

チュン：　わかったよ。行きゃいいんだろ，行きゃ。行くよ。

会話ノート

1. Vocabulary list

文句を言う	もんくをいう	complain

＜会話1＞

高橋	たかはし	(family name)
何か。	なにか。	Is there anything you want？
気がつく	きがつく	notice, realize
居間	いま	living room
妻	つま	wife
夫	おっと	husband
何て。	なんて。	What (did he say)？
集中する	しゅうちゅうする	concentrate
勝手な	かってな	self-righteous, self-indulgent
～くせに		(used for blaming an action or a person)

＜会話2＞

小林	こばやし	(family name)
スライド		slide film
森	もり	(family name)
急いでらした	いそいでらした	(「急いでいらっしゃった」の contracted form)
いらして		(「いらっしゃって」の contracted form)
横浜	よこはま	(name of a city)
いまさら		now
～てもはじまらないよ。		It cannot be helped.

2. Expressions

(1)　～中（～ちゅう）　（in the middle of ～）

This is used to show that someone is in the middle of doing something.

（例）1．勉強中　in the middle of studying（lit.）

2．食事中　in the middle of a meal（lit.）

3．話し中　in the middle of talking on the phone and so on (lit.)

(2)　～って　(someone says/said that ～)

This is the contracted form of "～と言っています/いました" which means "someone says/said that ～", and is used in daily conversation.

（例）1．毎日とても忙しいって。
　　　　2．それはもうきのう終わったって。

(3)　いらした，-ていらした

"いらした" is a contracted form of "いらっしゃった", and "-ていらした" is a contracted form of "the -て form of a verb ＋ いらっしゃった". They are used in spoken language.

(4)　-ても/-でもはじまらない（no use to ～)

This is an idiomatic expression. "-ても/-でも" can be changed into "-たって/-だって" in colloquial conversation.

（例）1．泣いてもはじまりませんよ。
　　　　　It is no use to cry, you know.
　　　　2．そんなこと言ったってはじまらないよ。
　　　　　It is no use to say something like that, you know.

3．Aspects of the discourse

「のだ」について（2）

"のだ" has a function to involve the listener in the topic the speaker is talking about. In this case, the information needs not to be shared by the speaker and the listener.

（例）A： あしたみんなでピクニックへ行くんだけど……。
　　　　B： うん。
　　　　A： いっしょにどう。

"のだ" is also used to stress something in contrast to some other thing, as in the following example.

（例）A： この問題はかんたんんよね。
　　　　B： うん。

A： でも，つぎのがむずかしいのよね。

"のだ" is thirdly used to display emotional emphasis, or to stress his/her idea emotively, as shown below.

（例）A： どうしてこんなにむずかしいの，日本語って。
　　　B： そう。

のだった（～んでした/～んだった）

"んでした/んだった" used in conversation indicates that the speaker is recalling the information which he/she got in the past.

（例）A： あ，3時に電話するんだった。
　　　B： ええ，もう4時よ。はやく電話したら。
　　　A： うん，そうする。

A has just recalled that he/she promised to call someone at 3:00. A probably hurries to a telephone booth. "んだった" should be pronounced with non-rising intonation and in a monologue-way.

　　[Note]　んでした/んだった should be preceded by a non-polite form of a verb, as follows.

（例）1．行くんでした/だった。
　　　　"I've just recalled that someone* would go."
　　　2．行ったんでした/だった。
　　　　"I've just recalled that someone* had gone."

(*"Someone" may be the speaker.)

If "んでした/んだった" is pronounced with short rising intonation, it shows another meaning.

（例）A： きのうの授業，おもしろかったよ。
　　　B： ほんと。出るんだった。

The speaker B feels regretful that he/she didn't attend yesterday's class. So B's statement might be translated as "I should have attended yesterday's class." In this case, non-polite imperfective form of a verb precedes "んでした/んだった."

文　法

I．Expressions of guess: -そうだ，ようだ（みたいだ）and らしい

A．Usage of "-そうだ"

"そうだ" is used when the speaker makes a guess about what might happen, or about the present state of someone or something, based on what the speaker has seen or felt.

（例）1．山田さんは，今日は忙しそうです。
　　　2．このみかんはおいしそうです。
　　　3．今日は雨が降りそうです。

B．Usage of "ようだ"

1．"ようだ" is used when the speaker makes a guess through the speaker's reasoning process, based not only on his visual information, but also on firsthand, reliable information, and his knowledge.

（例）1．山田さんは，今日は忙しいようです。
　　　2．小さいみかんのほうがおいしいようです。
　　　3．今日は雨が降るようです。

2．"ようだ" can be used in a situation contrary to fact, and means "be like," "look like" or "look as if."　The adverb "まるで," which means "exactly," can be used with "ようだ."

（例）1．あの人はまるで日本人のようです。
　　　2．あの人はまるで日本人のような顔です。
　　　3．あの人はまるで日本人のように日本語を話します。

3．"みたいだ" is a colloquial expression of "ようだ."　"みたいだ" is used in conversation more frequently than "ようだ."

（例）1．山田さんは，今日は忙しいみたいです。
　　　2．あの人はまるで日本人みたいです。

C．Usage of "らしい"

1．"らしい" is used when the speaker makes a guess, based on what the speaker has heard or read. In other words, the speaker's guess is based on another source of information much more than on his own observation.

  （例）1．山田さんは，今日は忙しいらしいです。
     2．小さいみかんのほうがおいしいらしいです。
     3．今日は雨が降るらしいです。

2．"らしい" also means "just as one should be." That is, "XはYらしい" means that X is the expected model of Y.

  （例）1．ルインさんは男らしいです。
     2．ルインさんは男らしい人です。
     3．ルインさんは男らしく，責任をとりました。

 [Note] The sentence "ルインさんは男らしいです。" has two meanings.
     (1) Mr. Lwin is manly.
     (2) It seems that Lwin-san is a man.
   The negative version of (1) and (2) is as follows.
     (1)′ ルインさんは男らしくありません。
        "Mr. Lwin is not manly."
     (2)′ ルインさんは男じゃないらしいです。
        "It seems that Lwin-san isn't a man."

D．Comparison of "-そうだ・ようだ・らしい"

On what basis does the speaker make a guess?
1．The speaker's statement with "そうだ" shows that his/her guess is based only on his/her own observation. His/Her guess seems to be made not from his/her reasoning process, but from his/her intuition. The responsibility for his/her subjective guess is very high.

2．The speaker's statement with "ようだ" shows that his/her guess is based on his/her own observation much more than on another information source. His/Her guess is made from his/her reasoning process, and is subjective rather than objective. The responsibility for his/her guess with "ようだ" is higher than one with "らしい."

3．The speaker's statement with "らしい" shows that his/her guess is based mainly on another information source. His/Her guess, therefore, is objective. The responsibility for his/her guess with "らしい" is lower than one with "ようだ."

The basis of the speaker's guess

	a．his/her own observation	b．another information source
-そうだ	3	0
ようだ	2	1
らしい	1	2
（する）そうだ	0	3

The responsibility for his/her guess

-そうだ	3
ようだ	2
らしい	1
（する）そうだ	0

[Note]　"3" shows highest possibility and "0," lowest possibility.

II．Contrastive patterns:　のに，けれども and -ても

A．"のに"

When the subordinate clause ends with "のに," the main clause shows a fact which is the opposite of what had been expected. Feelings of being unexpected, dissatisfaction or some doubts are expressed with this pattern.

（例）　1．時間なのに，まだ来ませんね。
　　　　2．高いのに，あまりよくありません。
　　　　3．日本人なのに，英語がとても上手です。
　　　　4．まだ早いのに，もう帰るんですか。

B．"けれども"

The content indicated in the clause with "けれども" is usually followed by a clause with a generally unexpected conclusion. The sentence which contains "けれども" doesn't show a negative feeling of the speaker, but expresses a fact. The colloquial form of "けれども" is "けど."

（例）１．調子はよくありませんけれども，やってみます。
２．２日間だったけど，あなたに会えてうれしかったわ。
３．授業はきびしいけれど，たのしい。

C. "-ても"

The -て form of four predicates ＋ "も" indicates contrastive condition. There are two kinds of conditions: assumptive and definite.

１．Assumptive condition

（例）１．あしたは，降っても，行くつもりです。
２．高くても買おうと思います。
３．どこへ行ってもこんでいるかもしれませんから，やめましょう。
４．だれに聞いても同じことを言いそうな気がします。
５．困難でも最後までがんばろうと思います。

２．Definite condition

（例）１．近くてもおくれて来る人はいるものですね。
２．年はとってもまだまだ若いですよ。
３．手紙を出しても返事が来ない，というのはどういうことでしょう。

[Notes]　The comparison between "のに" and "けれども"
　　　　１．ａ．日本人であるのに英語を話すことができる。
This sentence shows that the speaker is surprised that the Japanese can speak English.
　　　　ｂ．日本人であるけれども英語を話すことができる。
The speaker is not surprised; he/she is stating a fact.
　　　　２．ａ．電車があったのにバスで行った。
The speaker expected that he/she would go by train since it is more convenient. But unexpectedly he/she went by bus.
　　　　ｂ．電車があったけれどもバスで行った。
In this situation, the speaker（or somebody）didn't know which was more convenient, the train or bus, and just mentioned that he/she took a bus.

III. Expressions using "気(き)"

気がある	be interested in ～, have a liking for ～, have an intention to ～
気がない	have no interest, be indifferent, be halfhearted
気がきく	be thoughtful, be sensible, clever
気がする	feel, feel like ～ing
気がつく	be aware, notice
気が向く	feel like ～ing, be in the mood
気をつける	be careful, watch
気に入る	be fond of, be pleased
気にかける	be concerned about ～
気にする	care about, worry, bother
気になる	be worried, be bothered
気があらい	violent-tempered
気がいい	naive, innocent
気が短い	short-tempered

練　　習

1．用法練習

<1>（目上の人に，遠まわしに文句を言う場合）
　　会話の下線のある部分を，下の1～5の言い方にかえて練習しなさい。

　　問題の数が多い
　　　　［A…先生（男性）　B…学生］
　　A：　テスト，どうだった。
　　B：　ええ……。もうちょっと時間があったらできたと思うんですけど……。
　　A：　時間はじゅうぶんだと思ったけどねえ。
　　B：　でも，問題の数が多かったし……。
　　A：　うーん。そうか。
　　B：　あっ，すみません。別に文句を言ってるんじゃないんですが……。

　　　　1．むずかしい問題が多い
　　　　2．漢字がたくさんある
　　　　3．文を書かなくてはいけない
　　　　4．習っていないことばもある
　　　　5．作文もある

遠まわしに	とおまわしに	indirectly, in a round-about way
問題	もんだい	questions
別に	べつに	especially, with a particular intention
文	ぶん	sentence
習う	ならう	learn
作文	さくぶん	composition, essay

<2>（やや目上の人に，おだやかに文句を言う場合）
　　会話の下線のある部分を，下の1～5の言い方にかえて練習しなさい。

　　ドアの鍵がこわれた
　　　　［A…下宿人（男性）　B…大家］
　　A：　大家さん，またドアの鍵がこわれたんですけど。

B： またですか。この間，直したんですけどねえ。

                    ⋮

（ドアをガチャガチャさせて）

A： こうたびたびだと……。

B： うーん……。

A： ちゃんと直してほしいんですが……。

B： そうですね。じゃあ，修理の人をよびましょう。

A： お願いします。

    1．流しがつまった
    2．シャワーの水がでない
    3．トイレの水がとまらない
    4．水の出が悪い
    5．網戸がはずれた

おだやかに		calmly
鍵	かぎ	key
こわれる		be broken
下宿人	げしゅくにん	lodger
直す	なおす	fix, repair
ガチャガチャ		clatter (onomatopoeia)
たびたび		often
ちゃんと		properly, completely
修理の人	しゅうりのひと	repairman
流し	ながし	kitchen sink
つまる		block
出	で	running, flowing
網戸	あみど	window screen
はずれる		come off, fall down

＜3＞（だれかに対してというのではなくて文句を言う場合）
　　会話の下線のある部分を，下の1〜5の言い方にかえて練習しなさい。

　　わたしの机の上に荷物（を）おいて
　　　　［A…女性］
　　A：　あら，いやだわ。また，だれかわたしの机の上に荷物おいて……。
　　　　ほんと，いつもなんだから，いやんなっちゃう。

　　　　［A…男性］
　　A：　困るんだよなあ。また，だれかぼくの机の上に荷物おいて……。
　　　　いつもこうなんだから。やんなるよ，まったく。

　　　　1．こんなところに車（を）止めて
　　　　2．電気（を）つけっぱなしにして
　　　　3．ごみ（を）出してる
　　　　4．フロッピー（を）しまってない
　　　　5．けしゴム（を）持ってっちゃった

荷物	にもつ	bag, something to carry
いやんなっちゃう		(「いやになってしまう」の contracted form)
やんなる		(「いやになる」の contracted form)
つけっぱなし		leave（a light）on
ごみ		garbage
しまう		put away
けしゴム		eraser

2．談話練習

場面練習

次の会話を練習しなさい。

＜1＞A： 先生，来週のことなんですが……。
　　　B： はい。何か。

＜2＞　Aは自分でとった写真を見ながら……。
　　　A： これはまあまあですけど……。
　　　B： うん，そうね。
　　　A： これなんですよね。いいのは。
　　　B： ほんと。きれいね。

＜3＞A： あそこのレストラン，どうだった。
　　　B： うん。おいしかったけど，高いの。
　　　A： あ，ほんと。

＜4＞A： ねえ，論文出した。
　　　B： あ，いけない。今日出すんだった。

練　習

次の会話を練習しなさい。

＜1＞ 1）A： ねえ，ねえ。
　　　　　B： 何。
　　　　　A： 今日，わたしの誕生日なの。
　　　　　B： あ，そう。おめでとう。
　　　　　A： ありがとう。
　　　　　B： それで。
　　　　　A： ううん……。けち。

　　　 2）A： ねえ，あしたのパーティーのことなんだけど……。
　　　　　B： うん。何。

＜2＞ 1）A： ね，日本語，どう。
　　　　　B： うん。読むのはそうでもないけど……。
　　　　　A： うん。

　　　　　　B：　話すのがたいへんなんだ。
　　　　　　A：　あ，そう。

　　２）A：　今日のうちに，これ，やるんですか。
　　　　　B：　あ，あしたまででいいんです。

＜３＞　１）A：　ねえ，きのうのパーティー，どうだった。
　　　　　　　B：　うん。それがつまらなかったのよ。
　　　　　　　A：　どうして。
　　　　　　　B：　食事がまずかったの。
　　　　　　　A：　あ，そう。

　　　　２）A：　展覧会，どうだった。
　　　　　　　B：　それがよかったの。
　　　　　　　A：　ほんと。

＜４＞　１）A：　山田さん，今日の午後は……。
　　　　　　　B：　あ，ちょっと……。
　　　　　　　A：　あ，東京にいらっしゃるんでしたね。
　　　　　　　B：　ええ，そうなんです。

　　　　２）A：　今日の授業，よかったわよ。
　　　　　　　B：　あ，ほんと。
　　　　　　　A：　みんな言ってたわよ。
　　　　　　　B：　あ，ほんと。ぼくも出るんだった。

3．文法練習

＜1＞「〜よう/〜らしい」の練習　（I-B-1，I-C-1）

会話の下線のある部分を，下の1〜5の言い方にかえて練習しなさい。

国へ帰る
A： あのう，カーリンさん，国へ帰るようですよ。
B： やっぱり。
A： はっきり言ってたわけじゃないんですけど……。
B： またぐちをこぼしてた。
A： ええ。みんなひきとめてるらしいんですけど。
B： ふうん。

1．会社をかわる
2．大学をやめる
3．専門を変える
4．別れる
5．ドクター(を)とるのをあきらめる

はっきり		definitely
ぐちをこぼす		grumble, complain
ひきとめる		detain, try to persuade someone to change his/her mind
別れる	わかれる	split up, be broken up
ドクター		Ph. D.
あきらめる		give up

<２>「～みたい（だ）」の練習　（I-B-3）

　　会話の下線のある部分を，下の１～５の言い方にかえて練習しなさい。

　なんかいいこと（が）あった
　　A：　ねえねえ。ルインさんに会った。
　　B：　うん，さっき。
　　A：　なんかいいことあったみたいね。
　　B：　うん，うれしそうだったね。
　　A：　うん。

　　　　１．国から手紙が来た
　　　　２．アパート，見つかった
　　　　３．発表，終わった
　　　　４．あれ，うまくいった
　　　　５．国から電話があった

　　　　発表　　　　　　　　　はっぴょう　　　　　presentation
　　　　うまくいく　　　　　　　　　　　　　　　　work out all right,
　　　　　　　　　　　　　　　　　　　　　　　　　turn out well

<３>「～のに」の練習　（II-A）

　　会話の下線のある部分を，下の１～５の言い方にかえて練習しなさい。

　スペイン語を勉強する，話す
　　A：　私ね，もう２年もスペイン語を勉強してるのに……。
　　B：　さっぱり上手にならない……だろう。
　　A：　うん。少しは話せるようになるかなあって思ってたけど。
　　B：　うーん。でも，そこであきらめちゃ……。
　　A：　そりゃそうだけど。

　　　　１．お習字をする　　　　　　上手に書く
　　　　２．お琴を習う　　　　　　　ひく
　　　　３．碁をやる　　　　　　　　打つ
　　　　４．テニスを習う　　　　　　強い
　　　　５．スイミングクラブに通う　フォームがいい

　　　　スペイン語　　　　　　　スペインご　　　　Spanish
　　　　さっぱり～ない　　　　　　　　　　　　　　not ～ at all
　　　　あきらめる　　　　　　　　　　　　　　　　give up

（お）習字	（お）しゅうじ	calligraphy
（お）琴	（お）こと	(traditional Japanese musical instrument)
習う	ならう	take a lesson, learn
碁	ご	(name of a Japanese chess game)
打つ	うつ	play

＜4＞「いくら〜ても」の練習　（II-C-1）

　　会話の下線の部分を，下の1〜5の言い方にかえて練習しなさい。

　だれに聞く，知らない

　　A： ねえ，ルインさん知らない。

　　B： ええ，じつは僕もさがしてるんです。だれに聞いても知らなくて……。

　　A： あ，そう。困ったなあ。

　　　1．どこへ行く　　　　　会えない
　　　2．何時間待つ　　　　　来ない
　　　3．どんなにさがす　　　いない
　　　4．何回電話する　　　　出ない
　　　5．どの教室（を）見る　いない

聞 く 練 習

A　ニュース：　春闘

春闘	しゅんとう	＝春季闘争（しゅんきとうそう） spring labor campaign

(1)　3月1日のニュース

ぜんとよたろうれん	全トヨタ労連	＝全トヨタ労働組合連合会（ぜんとよたろうどうくみあいれんごうかい） FEDERATION OF ALL TOYOTA WORKERS' UNIONS
かめいする	加盟する	join
くみあい	組合	union
ろうそ	労組	＝労働組合（ろうどうくみあい） labor union
せいぞう	製造	manufacturing
いっせいに	一斉に	all together
ようきゅうしょ	要求書	written demands
けいえいがわ	経営側	administration
ていしゅつする	提出する	submit
こうしょうする	交渉する	negotiate
ちんあげ	賃上げ	wage raise
～にくわえて	～に加えて	adding to ～
～ぜんご	～前後	around, about
だけつ	妥結	compromise, settlement
めざす	目指す	aim
～とする		～ be said
たんしゅく	短縮	shortening
とりくむ	取り組む	undertake
げんじてん	現時点	present time
ぎょうせき	業績	(business) results
こうちょう	好調	good (condition)
じゃっかん	若干	a little, a few
うわまわる	上回る	be over, be more
やむをえない	止むを得ない	unavoidable, inevitable

ざんぎょう	残業	overtime work
せんけつ	先決	first consideration
さくげん	削減	cutting down
みとめる	認める	approve, admit
ほうしん	方針	policy
れいねん	例年	usual year
きびしい	厳しい	severe

(2) 4月5日のニュース

きんぞくろうきょう	金属労協	＝全日本金属産業労働組合協議会（ぜんにほんきんぞくさんぎょうろうどうくみあいきょうぎかい） IMF-JC(Japan Council of Metal Workers' Unions)
てっこう	鉄鋼	steel
おおて	大手	major
かいとう	回答	answer
ろうし	労使	＝労働者，使用者（ろうどうしゃ，しようしゃ）employee and employer
こうしょう	交渉	negotiation
ほぼ		almost, roughly
かたまる	固まる	come to a conclusion
ちんぎん	賃金	wage
ひきあげ	引き上げ	raise
けっちゃくする	決着する	be settled, end
みとおし	見通し	prospect, outlook
さい〜	最〜	the most 〜
まとまる		reach an agreement, be settled
エヌティーティー	NTT	＝Nippon Telegraph and Telephone Corporation
ぜんでんつう	全電通	＝全国電気通信労働組合（ぜんこくでんきつうしんろうどうくみあい） Japan Tele Communications Workers' Union
ストライキ		strike
かまえる		prepare, go on（strike）
ひきだし	引き出し	getting
はかる		try（to）

B　ビザを延長する

アリス（女性）は1年の留学期間がもうすぐ終わるが，資料収集のため，もう少し，日本にいるつもりである。それで，その手続きのために大学の学生係に行く。

期間	きかん	period
資料	しりょう	data
収集	しゅうしゅう	collect
手続き	てつづき	procedure

ざいりゅうきかん	在留期間	period of stay
こうしんする	更新する	renew
まんりょうする	満了する	expire
にゅうこく	入国	entry（to a country）
にゅうかん	入管	＝出入国管理事務所（しゅつにゅうこくかんりじむしょ）immigration office

しやくしょ	市役所	city hall, municipal office
ざいがくしょうめいしょ	在学証明書	student certification
がくぎょうしょうめいしょ	学業証明書	certificate of scholastic achievement
がくじがかり	学事係	educational affairs section
しひ	私費	private expenses
きりかえる	切り替える	renew, change
ほしょうにん	保証人	guarantor, sponsor
ほしょうしょ	保証書	written guarantee
がいこくじんとうろくしょうめいしょ		
	外国人登録証明書	alien registration certificate
ひよう	費用	expenses
そのばで	その場で	at that time, on the spot
ていしゅつする	提出する	submit
きさいじこう	記載事項	written items
くやくしょ	区役所	ward office
つうちする	通知する	notify
しんせいする	申請する	apply

在留期間更新の手続について

在留期間の更新

　大学が許可した在学期間が1年以上の長期であっても，あなたが留学生として入国管理局によって日本に在留を許可される期間は1年間です。従って，必ず所定の手続きをして1年ごとに在留期間を延長してください。この手続きは，在留期間の満了する日の2か月前から10日前までの間に，○○入国管理局（〒460　○○市○○区○○4－3○○法務合同庁舎内　TEL（052）951-2391）へ出かけて手続きしてください。その際の提出書類等は，次のとおりです。

1．在留期間更新許可申請書
　用紙は入国管理局にあります。

2．在留期間更新理由書（特別な事情がある人のみ必要）
　例えば留年，学校の変更等，その理由を日本語であなた自身が作成するものです。

3．在学証明書
　あなたが所属する学部の担当係（学生係）へ請求すれば交付されます。

4．学業成績証明書
　あなたが所属する学部の担当係へ請求すれば交付されます。
　研究生の場合は，成績証明書がありませんから，指導教官の推薦状を用意してください。

5．保　証　書
　国費外国人留学生の場合は，保証証明書を，あなたが所属する学部の担当係を通して本部学生課へ申請してください。申請後，交付されるまでに約10日間要しますから早めに申請してください。
　私費外国人留学生の場合は，各自の保証人に身元保証書を作成してもらってください。さらに学費の支払能力を証明するものが必要です。（例えば通帳，国からの送金通知等）

6．旅　　　券
　係官に呈示してください。
　延長申請のできる期間は，旅券の有効期間を越えることができないので注意してください。

7．外国人登録証明書
　係官に呈示してください。

8．手　数　料
　○○○○円
　なお，この手続きが終了したら，外国人登録証明書の記載事項変更ということで区役所へ届け出なければなりません。

C 習慣の違い

ルイン（男性）は，先生（男性）と日本人の学生，佐藤（女性）と習慣の違いについて話している。

習慣	しゅうかん	custom
違い	ちがい	difference
うでぐみする	腕組みする	fold one's arms
むっとする		be annoyed, be offended
たいど	態度	attitude, manner
たかびしゃに	高飛車に	arrogantly, haughtily
おぼうさん	お坊さん	(Buddhist) monk
そんけいする	尊敬する	respect, admire
けいいをひょうする	敬意を表する	show one's respect
こわい		frightening, scary
ごかいをうむ	誤解を生む	cause misunderstanding
からかう		tease
まえもって		ahead of time, beforehand
こうてき（な）	公的（な）	public
きかん	機関	institution, agencies
あえて～する		dare to ～
かえって		contrary to one's expectation, rather
きをつかう	気をつかう	bother, be concerned
もてなし		hospitality, service
ようきゅうする	要求する	demand
かんかく	感覚	sense, feeling
あいだがら	間柄	relationship
きにする	気にする	worry, be sensitive

読む練習

原っぱ

ぎっしりと家の建てこんだ町中の狭い家で暮らしていれば、誰だってたまには大空の下で風に吹かれ、お日様の下で存分に手足をのばしたくなる。

青草の上にあおむけに寝っころがってながれる雲を眺めたり、こどもと一緒に草摘みやでんぐり返しにつき合ったり……。テレビやゲームの外に、角力やうまとびやオニゴッコ、ドッジボール、キックボール、手打ち野球など、全身を使ってみんなと楽しむ遊びがあることも教えたい。

凧揚げ、竹とんぼ、ヒコーキ飛ばし、フリスビーもわるくない。もちろん、散歩やジョギングもいい。

昔は東京あたりでも、こういう息抜きの場所はけっこうあった。空き地もあったし、春先にはレンゲで染まるう

田んぼもあった。多摩川や荒川の土手や河原は絶好の気晴らしの場所だった。

しかし、今の東京は道路という道路は車であふれ、住宅地も小さな家や駐車場、民間のアパートがひしめいている。こどもが入りこんで遊べる空き地など皆無だし、河原は野球場やゴルフ場に占領されている。

ところで、武蔵野市の通称グリーンパーク。旧中島飛行機の工場の跡地で、米軍の宿舎があった、三百米四方、約一〇ヘクタールの四角い土地だ。五〇年に都立公園にすることに決って、その後、武蔵野中央公園予定地として解放され、近くの人たちに使われてきた。

いまはまわりに柵があるだけで、春には白ツメ草やタンポポが咲き、ヒバリが巣を作る、自然のままの原っぱだ。

乳母車で日光浴をしている赤ちゃんのそばを、保育園のこどもたちが駆けていく。そのむこうでは、高校生の一団が、ワイワイ、サッカーのボールを追っている。孫と一緒に竹ひごのプロペラ飛行機を飛ばしているお年寄り。それぞれが、思い思いにやりたいことをやっている。

一度でも、この原っぱで遊んだこどもは、電車をのり
ついででも、友だちを誘ってまた出かけてくる。これだ
けの広さがあって、しかも自由に走りまわれる原っぱ、
草を結んで誰かをひっかけることのできる原っぱなど、
どこにもないからだ。

ところが、この公園を今年から整備するという。でも、
この公園は、今の自然のままで残してほしい。

木を植えたり、花壇をつくり、池を掘り、散歩道をつ
くるのも公園づくりかもしれないが、このままで、みん
なが自由に使える原っぱにしておくのも、立派な公園づ
くりです。どうか、この原っぱは、このまま残して下さ
い。

（「この原っぱを残して下さい」『暮しの手帖』
Ⅲ―7　暮しの手帖社　より）

でんぐり返し

単 語 表

建てこむ	たてこむ	be crowded with houses
町中	まちなか	middle of a town
お日様	おひさま	sun
存分に	ぞんぶんに	as much as one wants
寝っころがる	ねっころがる	lie down
眺める	ながめる	look（up）
草摘み	くさつみ	picking weeds（one likes）
でんぐり返し	でんぐりがえし	somersault
角力	すもう	Japanese wrestling
手打ち野球	てうちやきゅう	（a kind of baseball which is played by hitting the ball with one's hand）
凧揚げ	たこあげ	flying kite
竹とんぼ	たけとんぼ	dragonfly toy made of bamboo
ヒコーキ飛ばし	ヒコーキとばし	flying a toy airplane
息抜き	いきぬき	taking a rest, resting
空き地	あきち	vacant lot
春先	はるさき	beginning of the spring season
染まる	そまる	become colorful, be dyed
多摩川	たまがわ	（name of a river）
荒川	あらかわ	（name of a river）
土手	どて	bank（of a river）
河原	かわら	dry riverbed
絶好の	ぜっこうの	most favorable
気晴らし	きばらし	pastime, recreation
皆無	かいむ	nothing at all
占領する	せんりょうする	occupy
武蔵野市	むさしのし	（name of a city）
通称	つうしょう	name commonly used
旧〜	きゅう〜	former 〜
中島飛行機	なかじまひこうき	（name of a company）
跡地	あとち	ruins
米軍	べいぐん	American army
宿舎	しゅくしゃ	billet, barracks

3百米四方	3びゃくメートルしほう	300 meters on each side of a square
四角い	しかくい	square
柵	さく	fence
巣	す	nest
乳母車	うばぐるま	baby carriage
日光浴	にっこうよく	sunbathing
駆ける	かける	run, rush
孫	まご	grandchild
年寄り	としより	aged person
整備する	せいびする	arrange, straighten up
植える	うえる	plant
花壇	かだん	flower bed
掘る	ほる	dig
散歩道	さんぽみち	walking path, path (for a walk)

第 13 課

あ　や　ま　る

○すみません，気がつかなくて。

○ご報告しなくて申し訳ありません。

○ご心配おかけして申し訳ありませんでした。

○どうもすみませんでした。

○どうも……。

○これから注意します。

会　　話

会話　1　研究室で

助手　：　ペレスさん。

ペレス：　はい。

助手　：　この間の試験どうでした。

ペレス：　はっ。

助手　：　あの今井奨学金の。

ペレス：　あ，あれは受けませんでした。

先生　：　えっ。受けなかった。

ペレス：　はい。

先生　：　どうして。

ペレス：　あのう中村奨学金のほうを受けることに……。

先生　：　中村。

ペレス：　はい。中村のほうがたくさんもらえるということなので。⁽¹⁾

助手　：　ペレスさん，先生に今井の推薦状，書いていただいたんでしょう。

ペレス：　はい。

助手　：　そういうことは報告に来なくちゃ。

ペレス：　あ，すみません，気がつかなくて。

先生　：　それで，どうなったんですか，中村のほうは。

ペレス：　はい，受かりました。

先生　：　あ，もう決まったの。

ペレス：　はい。ご報告しなくて申し訳ありません。

先生　：　まあ，受かったんならいいけど，ずっと心配してたんですよ。

ペレス：　あ，すみません。ご心配おかけして申し訳ありませんでした。

会話　2　アパートの前で

　　　　　松本：　同じアパートに住んでいる人

ルイン：　おはようございます。

松本　：　きのうは遅くまでだいぶにぎやかでしたね。

ルイン：　あ，すみません。うるさかったですか。

松本　：　いや，別に。そういうわけじゃないんですけど……。

ルイン：　試験が終わってほっとして，友達と一杯やってたもんですから。

松本　：　ああ，そうだったんですか。道理で。

ルイン：　どうもすみませんでした。

松本　：　このアパート，壁がうすいんですよね。

ルイン：　ええ。どうも……。

松本　：　まあ，おたがいさま⁽²⁾ですけどね。

ルイン：　これから注意します。

会話ノート

1. Vocabulary list

あやまる		apologize

＜会話1＞

今井	いまい	(family name)
受ける	うける	take
中村	なかむら	(family name)
推薦状	すいせんじょう	letter of recommendation
報告	ほうこく	report
～ちゃ		(「ては」の contracted form)
受かる	うかる	pass, succeed in～
ずっと		ever since, all this while
心配をかける	しんぱいをかける	cause someone so much anxiety

＜会話2＞

松本	まつもと	(family name)
だいぶ		very, pretty
別に。	べつに。	It wasn't so noisy.
ほっとする		be relieved, feel relief
一杯やる	いっぱいやる	have a drink
道理で。	どうりで。	That's why.
壁	かべ	wall
おたがいさま（です）。		It's a mutual matter.
注意する	ちゅういする	be careful

2. Expressions

(1) ～ということだ （They said that ～, I heard that ～)

This is used to tell what one has heard, and the meaning is the same as "～だ そうだ". But it is used in more formal situations. "～とのことだ" is another way to show the same meaning, but it is mainly used as a written expression.

(2) おたがいさまだ （not only you/I but also I/you ～)

This is used to express that something which is not favorable is a mutual matter. The meaning of the expression is, "not only you are wrong/bad, but also I am" or "not only I am wrong/bad, but also you are."

（例） 1．A： 先日は失礼なことを言ってどうもすみませんでした。
　　　　　B： いいえ，おたがいさまです。
　　　 2．A： わたしが悪いとおっしゃいますが，おたがいさまじゃないんですか。
　　　　　B： いいえ，わたしのほうは何も悪くありません。

3．Aspects of the discourse

Leaving elements unsaid （1）

A．Making offers

「どうぞ」

When we make an offer by using the adverb "どうぞ," various verbs are left out. This is because what is being offered is easily understood from the situation and the speaker's nonverbal action. When a visitor has arrived, for instance, the host or hostess will very often say "どうぞ," meaning

　　どうぞ（お入りください）
　　どうぞ（おすわりください）
　　どうぞ（お茶をお飲みください）

and so on.
Thus when the situation and nonverbal action make the speaker's intention clear, "どうぞ" is often used alone.

B．Making suggestions

When a listener's wishes are clear, a speaker often makes an offer or a suggestion by using the periphrastic expressions. For instance,

（例） A： ああ，のどがかわいた。
　　　 B： れいぞうこにつめたいものがありますけど……。
　　　 A： あ，そう。じゃあ……。

　　　　　れいぞうこ　　　　　　　　　　　　　　refrigerator

In the above conversation, A's intention is clear, so B suggests that A can get a cold drink from the refrigerator.

「～けど」

"けど" means "but." "けど" used in making suggestions or asking about the listener's wishes shows that the speaker is hesitant about making suggestions. So the sentence, "れいぞうこにつめたいものがありますけど……" can be paraphrased as "Something cold to drink is in the refigerator, but would you like to try it if you like it."

In the part of the sentence before "けど" the state or the fact may be described objectively.

The other forms besides "けど" are "けども，けれど，けれども and が." In formal speech, the sentence before "けど" or the like must end with the polite form of a verb. The sentence before "が," however, must always end with the polite form of a verb.

"けど" usually precedes some expressions used to indicate offers such as "どうですか/～ください/～ませんか." For example, the above-mentioned sentence becomes as follows.

> れいぞうこにつめたいものがありますけど，（いかがですか。）
> れいぞうこにつめたいものがありますけど，（どうぞ飲んでください。）
> れいぞうこにつめたいものがありますけど，（飲みませんか。）

The last part of the sentence following "けど" can be very often left out. If "けど" is pronounced in a hesitant, dangling tone so that it does not sound final, it may show a more reserved attitude.

文 法

I. Potential sentence

There are two types of potential sentences: one with the potential form of a verb, and the other shown by "Clause ＋ことができる."

A. Type A: Potential sentence with the potential form of a verb

For the potential form of Group 1 verbs, replace -**ru** by -**rareru**. For Group 2 verbs, change the final -**u** to -**e** and add -**ru**.

Verbs (dictionary form)	Verbs (potential form)
見る	見られる
変える	変えられる
使う	使える
返す	返せる
帰る	帰れる
死ぬ	死ねる
泳ぐ	泳げる
する	できる
来る	こられる

Note how to make a type A potential sentence.

Original sentence	Potential sentence
Xが Verb (Dict. form) ⟶	Xが Verb (potential form)
XがYを Verb (Dict. form) ⟶	XにYが Verb (potential form)
⟶	XがYが Verb (potential form)

（例） 1. この本はだれにでも読めると思います。
　　　 2. 私にはこの問題がとけません。
　　　 3. ルインさんは，歯がいたくて，寝られなかったようです。
　　　 4. 英語は，3年も使っていないから，話せなくなっています。
　　　 5. 以上の結果から次のようなことが言えます。

B．Type B:　Potential sentence shown by "Clause ＋ ことができる"

For a type B potential sentence, add "ことができる" to a clause ending in the dictionary form of a verb.

Original sentence	Potential sentence
X が Verb　　　　⟶	X が Verb（Dict. form）＋ことができる
X が Y を Verb ⟶	X が Y を Verb（Dict. form）＋ことができる

（例）１．この本だなにある本はだれでも借りることができます。
　　　２．本田さんはピアノをひくことができます。
　　　３．明日はいそがしくてうかがうことができません。
　　　４．この魚は食べることができません。

[Note]　The difference between type A and type B is only style.　Type A is more conversational and less formal than type B.

II．Expressions of obligation and condition

A．Expressions with "-なければならない" or "-なくてはならない"

1．Verbs followed by "-なければならない" or "-なくてはならない"

食べる	食べなければならない	食べなくてはならない
起きる	起きなければならない	起きなくてはならない
買う	買わなければならない	買わなくてはならない
待つ	待たなければならない	待たなくてはならない
ある	なければならない	なくてはならない
来る	こなければならない	こなくてはならない
する	しなければならない	しなくてはならない

（例）１．明日は５時に起きなければなりません。
　　　２．もう帰らなくてはなりません。
　　　３．３時までに電話しなくてはならないだろうと思います。
　　　４．ことばの勉強には辞書がなければなりません。

2．-い adjectives followed by "なければならない" or "なくてはならない"

やすい	やすくなければならない	やすくなくてはならない
明るい	明るくなければならない	明るくなくてはならない
いい	よくなければならない	よくなくてはならない

（例）1．だれにでもやさしくなければなりません。
　　　 2．コーヒーは熱くなくてはなりません。

3．-な adjectives or noun ＋ "だ" followed by "-なければならない" or "-なくてはならない"

元気だ	元気でなければならない	元気でなくてはならない
しずかだ	しずかでなければならない	しずかでなくてはならない
外国人だ	外国人でなければならない	外国人でなくてはならない
女性だ	女性でなければならない	女性でなくてはならない

（例）1．からだがじょうぶでなければなりません。
　　　 2．この部屋が使えるのは女性でなくてはならないはずです。

[Note 1]　"ならない" in "-なくてはならない" can be replaced by "いけない." "いけない" is used by a speaker when he/she makes a subjective comment.

[Note 2]　"なければ" very often changes to "なきゃ," and "なくては," to "なくちゃ," in colloquial speech.

B．Expressions with "べき"

"べきだ" which is preceded by a clause ending with a non-polite form indicates a suggestion of the speaker. It sounds more forceful than "-なければならない."

（例）1．病気なんですから，休むべきですよ。
　　　 2．A：友達の車，こわしちゃったんですが，どうすれば……。
　　　　　 B：友達にちゃんと話すべきです。

"べき" preceded by a clause can be changed to a noun modifier.
　　　本を読むべきです　　　　　→　　　読むべき本

　　　　学生が本を読む　　　　　→　　　学生が読むべき本
　　　　（ある）ことを今日する　　→　　　今日するべきこと

　（例）1．ルインさんには学ぶべきところが多いですね。
　　　　2．この町には見るべきものがあまりありません。

"べきだった" can be used to show an obligation which should have been done in the past.

　（例）1．もっと勉強するべきでした。
　　　　2．前にもっとよく説明しておくべきでした。

[Note] "するべき" often changes to "すべき."

III. Expressions of probability

A. Use of "だろう/でしょう"

"だろう" follows the non-polite imperfective form of a verb, an -い adjective, a noun or a -な adjective without -な. It also follows the non-polite perfective form of a verb, an -い adjective, a noun or a -な adjective when they are used as predicates.

　（例）1．もうすぐ来るでしょう。
　　　　2．今はまだ高いでしょうから，もう少し後で買いましょう。
　　　　3．アリスさんの書いた論文はもう少しふくざつでしょう。
　　　　4．たしか，東京の人でしょう。

[Note] "だろう/でしょう" have other usages.
　　　　1）to solicit agreement
　　　　　　A： もう行ってもいいでしょう。
　　　　　　B： ええ，どうぞ。
　　　　　　　　Here, "でしょう" is pronounced with rising intonation.
　　　　2）to speak boastingly of a thing the speaker has
　　　　　　A： この時計，いいでしょう。
　　　　　　B： どうしたんですか。
　　　　　　　　Here, "でしょう" is pronounced with falling intonation.
　　　　3）to soften a statement ending with "だ/です"
　　　　　　A： あの，山田さまでしょうか。

　　　　B：　はい，山田ですが……。

B．Use of "かもしれない/かもしれません"

"かもしれない" follows a sentence in the same way as "だろう."

　　（例）１．雨がふるかもしれません。
　　　　　２．天気がわるいかもしれません。
　　　　　３．雨かもしれません。
　　　　　４．雨がふったかもしれません。
　　　　　５．天気がわるかったかもしれません。
　　　　　６．雨だったかもしれません。

"かもしれない" is used to show that "X may probably be so and so, but the speaker is not sure." In very informal speech, "かもね" is used instead of "かもしれませんね."

　　（例）A：　あの学生，よく勉強したんだろうね。
　　　　　B：　（そう）かもね。

C．Use of "(−に) ちがいない/ちがいありません"

"(−に) ちがいない" also follows a sentence in the same way as "だろう."

　　（例）１．高いものを買うにちがいありません。
　　　　　２．外であそんでいるにちがいありません。
　　　　　３．お酒を飲んだにちがいないと思います。
　　　　　４．あしたの試験はむずかしいにちがいありません。
　　　　　５．あれは外国の自動車にちがいありません。
　　　　　６．病気だったにちがいありません。

"(−に) ちがいない" is used to show a guess of the speaker. Since this expression indicates a high degree of confidence, overuse of this shows an aggressive attitude.

練　習

1．用法練習

<1>会話の下線の部分を，下のA群とB群を適当に組み合わせてかえ，練習しなさい。

ビデオカメラ，こわす

　　　　[A…学生　B…Aの大家さん]

　A：　あのう，おわびしなきゃならないことが……。

　B：　はあ，なんでしょう。

　A：　実は，先日お借りした<u>ビデオカメラ</u>なんですが……。

　B：　ええ。

　A：　あのう，<u>こわして</u>しまったんです。

　B：　ええっ。

　A：　ほんとうに申しわけありません。

　B：　うーん。

A群

カメラ
レコード
（ご）本
ネクタイ
（お）皿

B群

こわす
失くす
汚す
落とす
割る

ビデオカメラ		video camera
こわす		break, damage
おわびする		apologize
失くす	なくす	lose
汚す	よごす	make（something）dirty, stain
割る	わる	break

＜2＞次の会話の下線の部分を，下の１～５の言い方にかえ，実際に動作をしながら，練習しなさい。

気がつかなくて
　　　［A…乗客　B…学生　（場面：新幹線の指定席の車内で）］
　A： あのう，ここ，私の席なんですけど……/ここは私の……/ここは……
　B： ああ，すみません。気がつかなくて……。
　A： いえ。

　　　１．いらっしゃるまでと思って
　　　２．あいていたもんですから
　　　３．うっかりしていまして
　　　４．感ちがいしていました
　　　５．知らなかったもんですから

実際に	じっさいに	actually
動作	どうさ	action
指定席	していせき	reserved seat
車内	しゃない	inside a car
席	せき	seat
気がつく	きがつく	notice
あく		not be taken
うっかりする		absentminded
感ちがいする	かんちがいする	mistake, take ～ wrong

＜3＞会話の下線の部分には，下の(1)～(5)のようないろいろな言い方があります。テープを聞いてその言い方を練習しなさい。

　　ごめんごめん
　　　　［A…女性　　B…Aの友だち］
　　A：　ねえ。
　　B：　え，何。
　　A：　ほら，あれ。この間，たのんどいたの。
　　B：　あっ，いけない。
　　A：　ええっ。まだなの。
　　B：　ごめんごめん，すっかり忘れてた。
　　A：　うん，もう……。

　　　　　　(1)　ごめん………………男/女
　　　　　　(2)　ごめんね……………男/女
　　　　　　(3)　わるいわるい………男
　　　　　　(4)　ごめんなさい………男/女
　　　　　　(5)　申しわけない………男/女

　　　　　頼む　　　　　　　　たのむ　　　　　　　ask
　　　　　あっ，いけない。　　　　　　　　　　　Oh, no.
　　　　　すっかり　　　　　　　　　　　　　　　completely

2. 談話練習

場面練習
次の会話を練習しなさい。

<1>　A：　ごめんください。
　　　B：　はーい。あっ，山田さん。どうぞ。
　　　A：　あ，失礼します。

<2>　A：　ああ，頭が痛い。
　　　B：　かぜですか。
　　　A：　ええ，たぶん。
　　　B：　かぜ薬もってるけど……。
　　　A：　あっ，そう。じゃ……。

練　習
A. 次の会話を練習しなさい。

<1>　1）A：　何か書くものない。
　　　　　B：　ああ，これ，どうぞ。
　　　　　A：　あっ，ちょっと借ります。

　　　2）A：　ああ，おいしい。
　　　　　B：　そうですか。もう少しどうぞ。
　　　　　A：　あ，すみません。じゃあ，遠慮なく。
　　　　　B：　どうぞ，どうぞ。

　　　3）A：　じゃあ，これで失礼します。
　　　　　B：　そうですか。
　　　　　A：　ええ。
　　　　　B：　じゃあ，またどうぞ。
　　　　　A：　はい。ありがとうございます。

　　　4）A：　さあ，どうぞ。
　　　　　B：　ええ。
　　　　　A：　さあ，遠慮なくどうぞ。
　　　　　B：　はい。じゃあ失礼して……。

　　　　　　　　遠慮なく　　　　えんりょなく　　　　　　　without reserve

＜2＞　1）A：　ねえ，ここにあった和英辞典知らない。

　　　　　B：　えーと，あっ，さっき，となりの部屋にあったけど……。

　　　　　A：　そう。

　　　　　B：　うん。

　　　　　A：　ありがとう。

　　2）A：　何か書くものありませんか。

　　　　　B：　これならありますけど……。

　　　　　A：　あ，ちょっと貸してくれませんか。

　　　　　B：　え，どうぞ。

　　3）A：　いつかひまな時，この仕事手伝ってくれない。

　　　　　B：　ええ。えーと，あさってならあいてますけど……。

　　　　　A：　あ，そう。

　　　　　B：　ええ

　　　　　A：　じゃあ，お願い。

　　　　　B：　はい。

　　　　　　　　　（時間が）あく　　　　　　　　　　＝ひまがある

　　　　　　　　　　　　　　　　　　　　　　　　　have free time

　　4）　（AとBは夫婦）

　　　　　A：　ああ，おなかすいた。

　　　　　B：　インスタントラーメンあるけど……。

　　　　　A：　なんでもいいよ。作って。

　　　　　　　　インスタントラーメン　　　　　　　instant noodles

B. ＿＿のところを自分で作って，練習しなさい。

　　1）A：　ひどい雨ですね。

　　　　　B：　そうですね。これじゃ帰れないなあ。

　　　　　A：　かさ，持ってないんですか。

　　　　　B：　ええ。

　　　　　A：　＿＿＿＿＿＿＿＿＿＿＿＿＿＿＿＿＿＿＿＿けど……。

　　　　　B：　そうですか。じゃ，あした返しますから……。

　　　　　　　　ひどい雨　　　　　　　　　　　　　heavy rain

2）A： 山田先生どこにいらっしゃいますか。
　　B： さっき_____けど……。
　　A： あ，そうですか。（ええ）じゃ，図書館に行ってみます。

3） （デパートで）
　　A： この形で，どんな色のがありますか。
　　B： ええと，_____けど……。
　　A： あ，ちょっと見せてくれませんか。
　　B： はい，かしこまりました。

4）A： バンバンさんの住所，知ってますか。
　　B： いいえ。でも，_____けど……。
　　A： あ，そうですか。じゃあ，ちょっとおしえてくれる。何番……。

3．文法練習

＜1＞ "Potential sentence" の練習 （Ⅰ-A）
会話の下線の部分を，下の1～5の言い方にかえて練習しなさい。

水，飲む
A： ねえ，この<u>水</u>，<u>飲める</u>かしら。
B： うーん，<u>飲める</u>んじゃない。

   1．魚   さしみで食べる
   2．お酒   日本で買う
   3．映画   ビデオで見る
   4．しみ   とる
   5．くだもの 国へ持って帰る

さしみ		sliced raw fish
酒	さけ	Japanese SAKE
しみ		stain
とる		take out, remove
くだもの		fruit

＜2＞ 「-なくてはならない」の練習 （Ⅱ-A-1）
会話の下線の部分を，下の1～5の言い方にかえて練習しなさい。

出す
A： あーあ。
B： どうなさったんですか。
A： これ，今日中に<u>出さ</u>なきゃならないんだ。
B： どうしても今日中じゃなきゃいけないんですか。
A： そうなんだよ。
B： 手伝いましょうか。

   1．書く
   2．かたづける
   3．そろえる
   4．すませる
   5．仕上げる

かたづける		finish, put away
そろえる		arrange, put in order
すませる		finish
仕上げる	しあげる	finish

＜3＞「～だろう」の練習　（III-A）

会話の下線の部分を，下の1～5の言い方にかえて練習しなさい。

かなりむずかしい，そう簡単にはいかない

A： それで，和田先生は何ておっしゃってた。
B： 先生は<u>かなりむずかしい</u>だろうと……。
A： そう，<u>そう簡単にはいかない</u>ってことだね。
B： ええ，そうおっしゃってました。

1．もう少し工夫がいる　　考え直したほうがいい
2．高くつく　　　　　　　もっと安くなきゃだめだ
3．まず問題ない　　　　　まあまあだ
4．なんとかなる　　　　　じゃあお願いしてもいい
5．あれならうまくいく　　あれでだいじょうぶだ

かなり		quite, fairly
いく		can be done
工夫	くふう	consideration, device
つく		cost
まず		on the whole
まあまあだ		not so bad

＜4＞「～かもしれない」の練習　(III-B)

会話の下線のある部分を，下の１～５の言い方にかえて練習しなさい。

道がわからない

　　A：　おそいね，ルインさん。
　　B：　ちょっと電話してみようか。

                    ⋮

　　A：　いた。
　　B：　ううん，だれも出ない。
　　A：　そう。<u>道がわからない</u>のかもね。
　　B：　そうね。

　　　１．きょうのこと（を）忘れてる
　　　２．場所（を）まちがえてる
　　　３．何か（が）あった
　　　４．道がこんでる
　　　５．どっかでまた油（を）売ってる

　　　出る　　　　　　　　でる　　　　　　answer（the phone）
　　　こんで（い）る　　　　　　　　　　　be crowded, be jammed
　　　油（を）売る　　　　あぶらをうる　　loiter（along the way）

聞 く 練 習

A　生活ゼミナール

ゼミナール		seminar
おおやかずこ	大屋和子	(full name of a person)
らいしゅん	来春	next spring
ひどり	日取り	date (decide on a date)
あいて	相手	fiancé, person on the other side
ぶつめつのひ	仏滅の日	unlucky day
おや	親	parent(s)
おおいに	大いに	a lot
くちだしする	口出しする	interfere in
きょしき	挙式	having a wedding ceremony
しゅやく	主役	main role (hero or heroine)
あくまでも	飽く迄	to the end
はんぱつする	反発する	resist
れいせいに	冷静に	calmly
ちょうさ	調査	survey
はちわり	8割	80%
さける	避ける	avoid
あんがい	案外	unexpectedly, surprisingly
むりじいする	無理強いする	force (somebody) to do
たいあん	大安	lucky day
むろん	無論	of course
めいしん	迷信	superstition
こんきょ	根拠	basis, grounds
しんじる	信じる	believe in
ふこうな	不幸な	unhappy
メリット		advantage, merit
しきじょう	式場	place where a (wedding) ceremony takes place
がらがら(の)		empty
サービス(がちがう)		(give good) service
かんがえあわせる	考え合わせる	consider (together)
きびしく	厳しく	seriously

そうしき - funeral
葬式

ぱっと		decisively
すっきりさせる		make refreshed
じんじゃ	神社	Shinto shrine
おはらい	お祓い	purification（by a Shinto priest）
めでたく		happily

六曜星の吉凶 (ろくようせい)

赤口 (しゃっこう)	大安 (たいあん)	仏滅 (ぶつめつ)	先負 (せんぶ)	友引 (ともびき)	先勝 (せんしょう)
凶日何事にも用いて凶但正午だけ吉	吉日旅行移転婚姻開店其他万事よし	凶日何事も忌む此日病めば長引く	諸事静かな事吉午後は吉	夕刻大いに吉葬式を忌む	万事急ぐ事吉午後より凶

（高島易断所総本部編『平成二年高島暦』神榮館発行 より）

おはらい

神　社

B 徳川美術館で説明を聞く

アリス（女性）がルイン（男性）といっしょに徳川美術館の前で先生（男性）と待ち合わせる。

徳川美術館	とくがわびじゅつかん	Tokugawa Art Museum
とくがわじだい	徳川時代	Tokugawa Period
おわりとくがわけ	尾張徳川家	Tokugawa Clan in Owari
～け	～家	～ clan, ～ family
えどじだい	江戸時代	Edo Period
だいみょう	大名	feudal lord
とくがわいえやす	徳川家康	(name of the first Shogun in Edo Period)
しょうぐん	将軍	Shogun
えどばくふ	江戸幕府	Edo Shogunate
しろ	城	castle
おさめる	治める	rule
だいだい	代々	from generation to generation
つたわる	伝わる	be handed down
（お）ちゃわん	（お）茶わん	tea bowl for tea ceremony
かたな	刀	sword
とくちょう	特徴	characteristic, feature
どうぐ	道具	tools and utensils
かざる	飾る	use as an ornament
ちゃしつ	茶室	tea house
ふくげんする	復元する	restore
てんじする	展示する	display
こころみ	試み	attempt
のうぶたい	能舞台	stage for Noh-play
やしき	屋敷	residence, mansion
おいわいごと	お祝い事	something to celebrate
えんじる	演じる	perform
きょうよう	教養	culture
あおい	葵	hollyhock (leaves)
もん	紋	crest
かもん	家紋	family crest
みとこうもん	水戸黄門	(title of a TV drama and the name of a Vice-Shogun)

もよう	模様	pattern
せんれんされている	洗練されている	be refined, be sophisticated
「げんじものがたり」	「源氏物語」	(title of a book)
えまき	絵巻	picture scroll
へいあんじだい	平安時代	Heian Period
ほぞんする	保存する	keep, maintain
ほんもの	本物	real thing, genuine thing
とうじ	当時	at that time
きぞく	貴族	aristocrat

徳川美術館

茶わん（白天目茶碗）

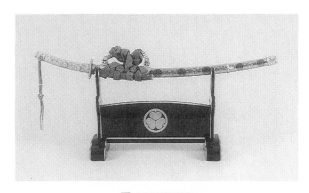

刀（葵紋蒔絵刀掛）

着物 （辻ヶ花染羽織）
つじがばな なおり

茶室 （心空庵）

葵の紋 （御旗・御馬印図）

能舞台

源氏物語絵巻 （宿木Ⅲ）　　　　　〔写真提供：徳川美術館〕

義務をもっている。たとえば原子核研究を日本の科学者が今までも細々ながらやっていたからこそ、ビキニ事件にあれだけ対処できたのであって、あのとき、もし日本の科学者がガイガー管の使い方も知らず、灰の分析法も研究していなかったとすれば、これは重大な怠慢であり、国民に対する義務を怠っていたという責任を負わねばならぬ。

それでも、万が一、反対した人のいった通りの事態に将来なったとしたら、この人たちにどういう顔むけができるであろうか。そう考えると、研究者は自分の行動に慎重にならざるをえない。この田無の事件はこの点を研究者たちに感覚的に印象づけたという点で非常な意味があるのではなかろうか。

科学者は研究を遂行せねばならぬ義務を負うと同時に、それの悪用に対しても責任を持たねばならぬ。しかし科学者自身が自分の行動を軽々しくしないということだけでは、悪用を防ぐことはできない。結局、科学の悪用を防ぐのは、国民全体、人類全体の意志と力でなければならない。その意味からいって、田無の人々がこの〴

問題に大きな関心をもつということは敬意に値することである。そして今度の出来事で科学と人間という問題と、科学者も人間であるということの自覚がわれわれの間に深められたのである。

（朝永振一郎『科学と科学者』みすず書房　より）

読む練習

科学者の社会的責任

原子核物理から生まれた第一子が、原子爆弾という凶器であったことはきわめて不幸であった。それがあまりに凶悪であるので、原子物理学者たちは、自分の研究結果の悪用がいかに不幸なものかと痛切に感じさせられている。もっともこれは物理学にかぎったことではなく、科学全般の問題である。化学からは薬も生まれるが毒も生まれる。細菌の研究は伝染病の予防や治療に役に立つ。また、悪用されれば細菌兵器の製造に役に立つことができないが、悪用されれば細菌兵器の製造に役に立つ。

とはいっても、純粋に基礎的な研究は、どういう事態においても育てていかねばならぬとの観点から、原子核研究所の設立が要望されたのは二年ばかり前のことであった。そして、この原子核研究所がいよいよ東京郊外

の田無という町にある東大農場の一部にたてられることになったとき、町の人々の反対にぶつかった。町の人々の反対の理由はいろいろであるが、要するに原子核の研究者たちがしたのと同じ心配がその中心である。私も町に出かけて行って、町の人びとの話をきいた。町の人の「その日の生活に困っている人間がいるのに、原子核の研究などなんのことか。もっと人を幸福にすることが先である」という声にも、人間として動かされた。また、「学者がいろいろ悪用されないように気をくばっても結局政治の力におし流されて、爆弾を作るようになるにちがいない」という声にも考えさせられた。この人たちのこういう心配は、実に肉体的なものであって、聞くものに強い印象を与えたのである。われわれは、われわれの研究所をそう簡単に兵器工場に転換させるものかと信じているし、それはそうやすやすとできることではないと考えていても、今の政治のいつわりにみちた有様を見ている人たちが、この不安を持つことを否定できない。しかし、どうあっても純粋の研究だけはやめるわけにはいかない。科学者は、国民に対して研究を怠らずやる

単 語 表

責任	せきにん	responsibility
原子核物理	げんしかくぶつり	nuclear physics
第一子	だいいっし	the first child
原子爆弾	げんしばくだん	atomic bomb
凶器	きょうき	deadly weapon
凶悪	きょうあく	brutal
痛切に	つうせつに	keenly
毒ガス	どくガス	poisonous gas
細菌	さいきん	virus, germ
伝染病	でんせんびょう	contagious disease
予防	よぼう	prevention
治療	ちりょう	treatment
欠くことができない	かくことができない	essential
兵器	へいき	arms, weapon
純粋に	じゅんすいに	pure
事態	じたい	situation
田無	たなし	(name of a place)
東大	とうだい	＝東京大学 University of Tookyoo
気をくばる	きをくばる	be careful, take care
おし流す	おしながす	push away
有様	ありさま	situation, circumstances
怠る	おこたる	neglect
細々ながら	ほそぼそながら	even little by little
ビキニ事件	ビキニじけん	incident at Bikini Island
対処する	たいしょする	cope with
ガイガー管	ガイガーかん	Geiger counter
灰	はい	ash
怠慢	たいまん	laziness
負う	おう	owe
顔むけできない	かおむけできない	cannot face
軽々しい	かるがるしい	careless
遂行する	すいこうする	fulfill, achieve
防ぐ	ふせぐ	prevent
値する	あたいする	be worth
出来事	できごと	incident, matter

第 14 課

な ぐ さ め る

○ しかたないですよ。わざとやったんじゃないんです
から。

○ このくらい気にすることはないよ。

○ おれなんか 10 万円もする OHP こわしちゃったこ
とがあるんだから。

○ きょうはもうやめといたら。

○ だめな時は何回やってもだめなもんだよ。

○ そういう時もあるさ。

○ そんなこと言うなよ。

○ あしたになったらいいアイデアがでるよ。

会　　話

会話　1　コーヒー・メーカーを落とす
木下：　リードの先輩

木下　　：　あっ。しまった。

リード：　だいじょうぶですか。

木下　　：　うん。ぼくはだいじょうぶだけど。

（いっしょにかたづけながら）

リード：　けがは。

木下　　：　うん，だいじょうぶ。でも，これ高いんだろうな。

リード：　さあ，でも，しかたないですよ。わざとやったんじゃないんですから。

木下　　：　うーん。

（助手が入って来る）

助手　　：　はでにやったなあ。

木下　　：　すみません。ちょっと手がすべっちゃって。

助手　　：　ま，このくらい気にすることはないよ。[1]

木下　　：　そうですか。

助手　　：　おれなんか 10 万円もする OHP こわしちゃったことがあるんだから。
　　　　　　買ったばかりのをさ。

リード：　そうですか。

木下　　：　あのう，こういう場合どうしたらいいんでしょうか。

助手　　：　うん，何。

木下 ：　あの，わたしが買って……。

助手 ：　あ，こういうのはいいんだよ。みんなのお茶代から出すことになって
　　　　るんだから。

木下 ：　そうですか。すみません。

会話　2　実験室で

　　　　山崎： ルインの友だち

山崎 ：　あーあ，まただめだった。
　　　　こんどこそうまくいくと思ったんだけど。⁽²⁾
　　　　何が悪いんだろう。

ルイン：　きょうはもうやめといたら。

山崎 ：　そういうわけにはいかないのよ。あと3日しかないんだし。

ルイン：　ああ，論文の締切か。

山崎 ：　うん。もう何回失敗したんだろう。本当にいやになっちゃう。

ルイン：　だめな時は何回やってもだめなもんだよ。

山崎 ：　うーん。

山崎　：　あっ。あーあ。どうしてこううまくいかないのかな。

ルイン：　ま,そういう時もあるさ。

山崎　：　がっかりだなあ。もうやめちゃおうかな。

ルイン：　そんなこと言うなよ。

　　　　　あ,そうそう。吉田さんがね,この前たのんだの,どうなってるかって。

山崎　：　それどころじゃないわよ。こっちが終わってないんだから。

ルイン：　そうだなあ。

山崎　：　あーあ。

ルイン：　きょうはやめたら。あしたになったらいいアイデアがでるよ。

山崎　：　それもそうね。そうしよう。

会話ノート

1. Vocabulary list

なぐさめる		console

＜会話１＞

コーヒー・メーカー		coffee-maker, coffee pot
落とす	おとす	drop
木下	きのした	(family name)
しまった。		Damn it！
かたづける		clean up, straighten up
けが		wound, (slight) injury
わざと		intentionally
はでにやる		make a scene
はでにやったなあ。		There seems to be an accident！
（手が）すべる		slip
このくらい		about this much
気にする	きにする	be worried
OHP	オーエッチピー	Over Head Projector
こわす		break
お茶代	おちゃだい	money for tea or coffee

＜会話２＞

実験室	じっけんしつ	laboratory
山崎	やまざき	(family name)
うまくいく		go well, work out well
失敗する	しっぱいする	fail
いやになる		be discouraged, be disgusted
がっかり		discouragement, disappointment
がっかりする		become discouraged / disappointed
やめる		give up
吉田	よしだ	(family name)
どうなってる。		How much have you done？ How far did you go？
それどころじゃないわよ。		I can't even think about it！ I can't do anything else！

　　アイデア　　　　　　　　　　　　　　　　　　idea

2. Expressions

(1)　～くらい/ぐらい

　　"～くらい/ぐらい" are modified by "この，その，あの" and "どの", and show a certain degree. This word can also be modified by a sentence.

　　（例）１．あのくらい話せるようになれば，だいじょうぶです。
　　　　　２．むずかしくてやめたいぐらいです。

(2)　こんど　（this time, next time）

　　This can be interpreted or understood as either "this time" or "next time" from the context.

　　（例）１．こんどはうまくいった。（this time）
　　　　　２．こんどはいつ会えますか。（next time）

3. Aspects of the discourse

Leaving elements unsaid（2）

A. Polite refusal

The last part of the sentence is very often left out when declining an offer, a suggestion, or an invitation in order to show the speaker's reluctance. For instance,

　　（例）　　　A：　あした，いっしょに泳ぎにいきませんか。
　　　　　　　B：　あしたはちょっと……。
　　　　　　　A：　ああ，そうですか。
　　　　　　　B：　ええ。
　　　　　　　A：　じゃあ，またいつか。
　　　　　　　B：　ええ。すみません。

The sentence of "あしたはちょっと……" literally means "Tomorrow is a little bit ……," but actually conveys the meaning that tomorrow is inconvenient for B. So "都合がわるいんです" or "行けないんです" is left out.

「ちょっと……」

"ちょっと" is used to weaken the tone of disapproval. In other words it shows A's reluctance to trouble B so that the sentence sounds more reserved and considerate.
"どうも (lit. somehow)" also implies a negative statement and can be used with the rest of the sentence omitted.
If, however, the speaker says "あしたは……" by using a hesitant, dangling tone, he can convey the same implication without even using such words as "ちょっと and どうも."

「ので, から, ～て, ～し」

The last part of the sentence following "ので, から, ～て, ～し" can be often left out.
For instance,

（例）　　A：　あした，いっしょに泳ぎに行きませんか。
　　　　　B：　あっ，あしたはテストがあるので……。
　　　　　A：　ああ，そうですか。

"から" might be used to justify the reason for the speaker's refusal. "ので" might be used to objectively state a reason. So on more formal occasions it would be better to use "ので."

B. Negative evaluation

When the speaker gives a negative judgment or an opinion, the last part of the sentence is very often left out in order to show the speaker's reluctance.
For instance, when someone has told you his/her plan and you do not approve of it, you can show your disapproval by saying;

　　　それでもいいんですが……

In social situations where it is not appropriate to denounce something flatly, one uses this expression and waits for the listener to change his/her proposal.
Disapproval is indirectly indicated by the use of "が, けど," or the like. And the hesitant tone is also important.

文　　法

Ⅰ．Usage of "もの"

The noun "もの" preceded by a clause is used to show the speaker's attitude toward the fact described by the clause. "もの" is changed to "もん" in very familiar speech. "もの" has several meanings.

1．Natural fact

（例）1．人は死ぬものです。
2．世の中とはそんなものですよ。

2．Indirect command, or conviction of the speaker

（例）1．学生は勉強するものです。
2．子どもは早く寝るものです。

3．Nostalgic memory

（例）1．学生時代にはよくこの公園を歩いたもんです。
2．あの頃はよくジャズを聞いたものです。

4．Admiration

（例）1．よくそんなことができたものですね。
2．一人で世界一周したなんてすごいもんですね。

5．Reason or excuse

（例）1．A：　そんなにピーナツ食べちゃだめですよ。
B：　だって好きなんだもん。
2．A：　勉強しないの。
B：　今日はしなくてもいいんだもん。

II. Usage of "わけ(訳)"

"わけ" basically signifies "meaning, sense or reason." It is used as a common noun in the following ways.

（例）1．わけがわからない言葉は使うことができません。
　　　2．それはどういうわけですか。
　　　3．失敗したのには深いわけがあります。

"わけです/わけだ" preceded by a clause shows the speaker's conclusion according to his/her logical judgement. The description of the situation and the dialogue concerning the situation are given below.

〈Situation〉 X is listening to Y playing the piano, and thinks Y is a good player. But X doesn't know why Y plays the piano so well. Z explains to X that Y has been practicing the piano since his/her childhood. X understands the reason.

〈Dialogue〉 X： Yさんはピアノが上手ですね。
　　　　　　 Z： ええ。3才の時から習っていますからね。
　　　　　　 X： ああ，それであんなに上手なわけですか。

（例）1．A： なんか，いやに暑いですね。
　　　　　 B： ああ，窓が閉まってますよ。
　　　　　 A： なんだ。それじゃ暑いわけだ。
　　　2．A： おかしいなあ。画面が出ない。
　　　　　 B： ちょっと待って。あっ，スイッチが入っていないよ。
　　　　　 A： じゃあ，うつらないわけだ。
　　　3．ルインさんが来た。調子が悪いらしい。よく聞いてみると，朝ごはんは食べないし，昼と夜はラーメンを食べているだけだという。これでは，体を悪くするわけだ。

The negative form of "わけだ" is "わけじゃない." "わけじゃない" is used to negate a statement which is mentioned as a logical conclusion in the context.

（例）1．A： この本は漢字が多いですね。
　　　　　 B： でも，むずかしいわけではありませんよ。
　　　2．A： いつ電話してもいませんね。
　　　　　 B： でも，遊んでいるわけじゃありませんよ。

The expression "わけにはいかない" means "cannot do such a thing because of a personal reason or a socially accepted reason," when it is preceded by the affirmative form of a verb.

（例）1．あした試験があるから，遊ぶわけにはいきません。
2．ここは図書館だから，タバコを吸うわけにはいきません。

"わけにはいかない" preceded by the negative form of a verb indicates an obligation.

（例）1．あしたは試験があるから，勉強しないわけにはいきません。
2．もう約束したから，行かないわけにはいきません。

III. Usage of "ところ"

A. "ところ" originally means "a place." "ところ" preceded by a clause indicates "about the time when," though it still keeps its original sense. There are three types of sentences followed by "ところ."

1．Clause ending in the dictionary form of a verb ＋ところ
This pattern is used to indicate "be just going to do."

（例）今からでかけるところです

2．Clause ending in a verb in the non-polite, perfective affirmative form ＋ところ
This pattern indicates "have just finished."

（例）今勉強が終ったところです。

3．Clause ending in the –て form of a verb ＋いる＋ところ
This pattern indicates "be just now doing."

（例）今おふろに入っているところです。

B. "Clause ＋ところ" behaves as a noun and can be an element of a sentence. It functions as follows.

1．Object

（例）1．医者にとめられたのに，タバコをすっているところをほかの人に見られました。

2．わたしたちがよく勉強しているところを見てください。

2．Situation

（例）1．部屋に入ったところへ電話がかかってきました。
　　　2．みんなで話しあっているところにルインさんがやってきました。

3．Time

（例）1．みんなが集まったところで乾杯をしましょう。
　　　2．ゼミが終わったところでお茶の時間にしましょう。

4．Source of information

（例）1．わたしが聞いたところでは，明日は休講だということです。
　　　2．わたしが見たところでは，このラジオは2年でこわれるでしょう。

C．"Clause ＋ところ" can also indicate degree of an art, skill or ability.

（例）1．A： スペイン語を勉強したそうですね。
　　　　　B： ええ。でも，ぺらぺら話せるところまではいきませんでした。
　　　2．A： ピアノ，じょうずになりましたね。
　　　　　B： そうですか。でも，人の前でひくところまではいっていません。
　　　3．A： コンピューターの勉強をはじめたんですか。
　　　　　B： ええ。はやく一人でプログラムが作れるところまでいきたいものです。

IV．Usage of "こと"

"Clause ＋ こと" has various meanings depending on the predicate following it.

1．It shows the frequency of an action, or a state in the present, as in the following.
　　[Clause ending in an imperfective form ＋ ことがある]

（例）1．ときどきわからないことがありますが，まあ大丈夫です。
　　　2．A： 新聞はよく読みますか。
　　　　　B： そうですね。読むこともありますが，あまり……。
　　　3．行きたいとおもうことはありますが，行かなくても，まあ……。

2．It shows the frequency of an action or a state in the past as in the following.

   [Clause ending in a perfective form ＋ ことがある]

  （例）1．日本とアメリカの問題について前に考えたことがあります。

      2．アリスさんは野球をしたことがあるそうです。

      3．わからなくて大変だったこともあります。

3．It shows potentiality. See Lesson 13 for a more detailed explanation.

4．It shows necessity as in the following.

   [Clause ending in the dictionary form of a verb ＋ことはない]

  （例）1．そんなに急ぐことはありませんよ。

      2．気にすることはありませんよ。

      3．そんなに考えることはないですよ。すぐやってみたらどうですか。

5．It shows decision as in the following.

   [Clause ending in the imperfective form of a verb ＋ことにする]

  （例）1．よく考えて，けっきょく行くことにしました。

      2．からだに悪いからたばこはすわないことにしました。

"なる" is an intransitive counterpart of "する," and can be used instead of "する" in the sentence in IV-5 above to report that a decision was made.

  （例）1．来週は大阪へ行くことになっています。

      2．わたしたちは来年の春に結婚することになりました。

6．It means "pretend as if……," as in the following.

   [Clause ending in the perfective form ＋ことにする]

  （例）1．（本当は電話しなかったが）電話したことにしておいてください。

      2．（本当は聞いたが）聞かなかったことにしておきましょう。

練　習

1．用法練習

<1>（おくやみを言う場合）
　　会話の下線のある部分を，下の1～5の言い方にかえて練習しなさい。

　このたびはどうも
　　　　　［A…Bの同僚　B…葬式で休みをとっていた人］
　A：　ああ，このたびはどうも……。
　B：　はあ，どうも……。
　A：　たいへんでしたでしょう。
　B：　そうですねえ。あまり急だったもんですから……。

　　　　　1．このたびは……
　　　　　2．このたびは突然のことで……
　　　　　3．何かご不幸がありましたそうで……
　　　　　4．このたびはご愁傷さまで……
　　　　　5．（深深とおじぎをする）

おくやみを言う		express one's condolences when someone dies
葬式	そうしき	funeral
休みをとる	やすみをとる	take a day（days）off
このたび		this time, the other day
不幸	ふこう	unhappy incident
ご愁傷さま	ごしゅうしょうさま	（set phrase used for showing one's condolences especially for someone's death）
深深とおじぎをする	ふかぶかとおじぎをする	bow politely, make a formal bow from the waist

＜2＞会話の下線のある部分を，下の1〜5の言い方にかえて練習しなさい。

　　　世の中には，無責任なこと（を）言う人が多い
　　　　　　［A…Bの先輩（女性）　　B…学生（女性）］
　　　　　　　　　　　　　　　　⋮

　　A：　まだそんなこと気にしてるの。
　　B：　ええ。
　　A：　ばかねえ。いつまでもくよくよしてたってしょうがないでしょ。
　　B：　そうなんですけど……。
　　A：　世の中には，無責任なこと言う人が多いんだから，気にすることないわよ。
　　B：　そうですね。
　　A：　ね，もう忘れなさい。
　　B：　はい。

　　　　1．あなたはいっしょうけんめいやった
　　　　2．まちがったこと（を）したわけじゃない
　　　　3．ああするよりほかになかった
　　　　4．あなただけが悪いわけじゃない
　　　　5．だれのせいでもない

無責任な	むせきにんな	irresponsible
ばかねえ。		That's foolish!
		No kidding!
くよくよする		keep thinking
世の中	よのなか	this world
いっしょうけんめいやる		try hard, do one's best
せい		fault

＜3＞会話の下線のある部分を，下の1〜5の言い方にかえて練習しなさい。
　　　その時，〜〜〜の部分に注意し，特に＊のあるところから下は状況にあわせて自由にか
　　　えなさい。

　　かばん（を）とられた
　　　　　［A…学生（女性）　　B…学生（女性）］
　　A：　あーあ。
　　B：　どうしたの。
　　A：　かばんとられちゃったの。
　　B：　ええっ，いつ。

A：　きのう。
B：　どこで。
＊A：　郵便局の前で。車のなかに入れてあったの。
B：　警察に行った。
A：　うん。でも，出てこないだろうって。
B：　そう。鍵かけといたの。
A：　それが，ちょっとだけだからと思って……。
B：　ばかねえ。で，何が入ってたの。
A：　おさいふでしょ，カードでしょ，あとは本とかノートとか……。
B：　おさいふにはいくら入ってたの。
A：　2000 円ぐらい。
B：　そのぐらいなら，まあいいじゃない。
A：　うーん。でも授業のノートも……。
B：　それは見せてあげるから。
A：　うーん，お願いね。
B：　うん。

　　1．自転車（を）とられた
　　2．お金（を）なくした
　　3．鍵（を）落とした
　　4．車（を）ぶつけられた
　　5．外国人登録証（を）落とした

状況	じょうきょう	situation
とる		steal
警察	けいさつ	police station
鍵（を）かける	かぎ（を）かける	lock
さいふ		wallet
落とす	おとす	lose
ぶつける		hit, bump
外国人登録証	がいこくじんとうろくしょう	alien registration card

２．談話練習

場面練習

次の会話を練習しなさい。

＜１＞　A：　あした来られますか。
　　　　B：　すみません。あしたは前から約束がありまして……。
　　　　A：　ああ，そうですか。（ええ）残念ですね。

＜２＞　A：　このセーターいかがでしょうか。
　　　　B：　ええ。形はいいんですけど……。
　　　　A：　ええ。
　　　　B：　色がちょっと……。
　　　　A：　ああ，そうですか。
　　　　B：　ええ。

練　習

A．次の会話を練習しなさい。

＜１＞　１）A：　ねえ，これ食べない。
　　　　　　B：　ええ。食べたいんだけど……。
　　　　　　A：　どうして。
　　　　　　B：　今ダイエットしてるから……。
　　　　　　A：　あ，そう。

　　　　　　　　　ダイエットする　　　　　　　　　to be on a diet

　　　　２）A：　今週，ひまな時，映画を見に行きませんか。
　　　　　　B：　うーん。来週テストがあるから……。
　　　　　　A：　あ，いそがしいんですね。
　　　　　　B：　ええ。ごめん。

　　　　３）A：　ねえ，きょう行かない。
　　　　　　B：　きょう。
　　　　　　A：　うん。
　　　　　　B：　きょうは暑いし，お金もあまりないし……。
　　　　　　A：　あ，そう。じゃあまたいつか。
　　　　　　B：　わるいね。

4）A： 今晩飲みに行きませんか。

B： ええ。でも……。

A： あ，なにか。

B： ええ。おそくなると家内がうるさいので……。

A： へえ，あ，そう。

＜2＞ 1） デパートで

A： これはいかがですか。

B： そうですね。でも値段がちょっと……。

A： あ，そうですか。

2）A： アリスさんはこういう絵はどうですか。

B： ええ。わたしは抽象画はどうも……。

A： あ，そうですか。

抽象画 ちゅうしょうが abstract painting

3）A： 今度のアパートはどうですか。

B： ええ，前よりはいいんですけど……。

A： ええ。

B： シャワーがないのが……。

A： ああ，ちょっと困りますね。

B： ええ。

4）A： きのう行った喫茶店よかったでしょう。

B： ええ。とても静かで……。

A： ねえ。

B： でもコーヒーの味がちょっと……。

A： あ，そう。

B．次のような場面で会話を練習しなさい。

1）AはBをなにかにさそいますが，Bはそれをことわります。

2）AはBになにかの評価について聞きます。Bはそれについて否定的な評価をします。

評価 ひょうか evaluation

否定的な ひていてきな negative

3．文法練習

＜1＞「～もの（もん）」の練習　（I）
　　　会話の下線のある部分を，下の1～5のことばにかえて練習しなさい。

　　飛行機事故，ひどい
　　　A：　飛行機事故ってひどいもんねえ。
　　　B：　ほんとね。

　　　　1．酔っぱらい運転　　　　　　　　　こわい
　　　　2．ひっこし　　　　　　　　　　　　たいへんだ
　　　　3．夕焼け　　　　　　　　　　　　　きれいだ
　　　　4．あれだけのことをひとりでやれる　たいした
　　　　5．外国で病気になる　　　　　　　　心細い

　　　　　飛行機事故　　　　　ひこうきじこ　　　　air crash
　　　　　ひどい　　　　　　　　　　　　　　　　　awful, terrible
　　　　　酔っぱらい運転　　　よっぱらいうんてん　drunken driving
　　　　　こわい　　　　　　　　　　　　　　　　　frightening
　　　　　ひっこし　　　　　　　　　　　　　　　　moving
　　　　　夕焼け　　　　　　　ゆうやけ　　　　　　afterglow
　　　　　たいした　　　　　　　　　　　　　　　　great
　　　　　心細い　　　　　　　こころぼそい　　　　helpless, lonely

＜2＞「～わけじゃない」の練習　（II）
　　　会話の下線のある部分を，下の1～5の言い方にかえて練習しなさい。

　　電話してる，毎日する
　　　A：　また電話してるの。
　　　B：　いいじゃない，毎日するわけじゃないんだから……。

　　　　1．食べてる　　　　一日中食べている
　　　　2．お酒を飲む　　　毎日飲む
　　　　3．ディスコへ行く　毎晩行く
　　　　4．サボった　　　　いつもサボってる
　　　　5．洋服を買った　　給料全部使う

　　　　　一日中　　　　　　いちにちじゅう　　　　all day long

—134—

ディスコ		discotheque
サボった		skip classes, skip work
洋服	ようふく	clothes
給料	きゅうりょう	pay, salary
全部	ぜんぶ	all

＜3＞「〜ところ」の練習 （III-C）

会話の下線のある部分を，下の1〜5のことばにかえて練習しなさい。

電話で話せる

A： フランス語習ってるんだって。

B： はい。

A： もうだいぶじょうずになった。

B： いえ，まだ<u>電話で話せる</u>ところまではいってないんですが……。

1．通じる

2．手紙が書ける

3．雑誌が読める

4．翻訳ができる

5．討論に参加できる

通じる	つうじる	be understood, communicate
翻訳	ほんやく	translation
討論	とうろん	debate
参加する	さんかする	join, participate

＜４＞「(-た)ことにする」の練習　(IV-6)

　　会話の下線のある部分を下の１〜５の言い方にかえて練習しなさい。

　映画(を)見る

　　A：　映画見たいなあ。

　　B：　あら，お金貯めるんじゃなかったの。

　　A：　うーん。よし，見たことにして貯金するか。

　　　　１．何かおいしいもの(を)食べる

　　　　２．どこか(へ)旅行する

　　　　３．コンサートに行く

　　　　４．スーツ(を)作る

　　　　５．ステレオ(を)買いかえる

貯める	ためる	save (money)
貯金する	ちょきんする	save money
コンサート		concert
スーツ		suit
ステレオ		stereo
買いかえる	かいかえる	buy a new one (to replace another)

聞く練習

A　ドラマ：青春物語

| 青春 | せいしゅん | youth |
| 物語 | ものがたり | story |

よかぜ	夜風	evening breeze
すてき		wonderful
せせらぎ		shallow stream
おもってもみない	思ってもみない	don't think at all
やまおく	山奥	deep in the heart of a mountain
やつがたけ	八ヶ岳	(name of a mountain)
とざんぐち	登山口	starting place for climbing a mountain
ディスコ		discotheque
スーパー		supermarket
がらっと		totally
はなれる	離れる	apart(from)
むしょうに	無性に	very much
きゃっかんてきに	客観的に	objectively
ながめる	眺める	take a look at
ぶちこわす		destroy
たくましい		stout, strong
やまおとこ	山男	mountaineer
そぼく（な）	素朴（な）	simple and natural
おっこちる	落っこちる	fall down
きつい		hard
テント		tent
あかだけ	赤岳	(name of a mountain)
もやもや		gloomy feeling
ふきとぶ	吹き飛ぶ	be flown away
きり	霧	fog
まげる		bend
ほね		bone
いじょう（な）	異常な	abnormal
たちあがる	立ち上がる	get up, stand up

まっさかさま		headlong
おどかす	脅かす	scare
はれる	腫れる	swell
ずきんずきんする		feel a throbbing pain
おうえん	応援	aid, help
おぶう		carry ～ on one's back
ぐずぐずする		be slow
やましいきもち	やましい気持ち	intention which makes one feel guilty
すっきりする		feel refreshed
まよう	迷う	hesitate
どさくさまぎれに		taking advantage of the confusion
ごかい	誤解	misunderstanding

八ヶ岳

C　映画「乱」

監督　　：黒沢明
キャスト：秀虎………仲代達矢
　　　　　楓の方……原田三枝子

あらすじ

　戦国時代を生き抜いてきた一文字秀虎（仲代達矢）は70歳になったときに三人の息子，太郎，次郎，三郎を呼んで，家督を長男の太郎に譲ると宣言した。その後，秀虎と太郎が対立し，次男の次郎も太郎と一緒になって秀虎を殺そうとする。ところが戦いの途中，流れ弾に見せかけて次郎は兄の太郎を殺してしまう。
　それをきっかけに太郎の妻，楓の方（原田三枝子）は，かつて自分の親兄弟を秀虎に滅ぼされた恨みから一文字一族に対する復讐を始める。

「乱」	「らん」	(title of a movie)
あらすじ		plot
監督	かんとく	director
黒沢明	くろさわあきら	(full name of a director)
キャスト		cast
一文字秀虎	いちもんじひでとら	(full name of a figure in a play)
仲代達矢	なかだいたつや	(full name of an actor)
楓の方	かえでのかた	(name of the wife of a feudal lord)
原田三枝子	はらだみえこ	(full name of an actress)
太郎	たろう	(first name of the first son)
次郎	じろう	(first name of the second son)
三郎	さぶろう	(first name of the third son)
戦国時代	せんごくじだい	the War Period
生き抜く	いきぬく	survive
家督を譲る	かとくをゆずる	transfer the headship of a family
宣言する	せんげんする	declare
対立する	たいりつする	conflict
戦い	たたかい	battle
流れ弾	ながれだま	stray bullet
見せかける	みせかける	make (something) look like
きっかけ		starting point
かつて		once
滅ぼす	ほろぼす	destroy
恨み	うらみ	bitterness, resentment

〜から	〜から	because of 〜
一族	いちぞく	clan, family
復讐	ふくしゅう	revenge

こわい	恐い	horrible
メーキャップ		makeup
ぎじゅつてきに	技術的に	technique
たいした	大した	great
ぎじゅつてき	技術的	technical
おいぼれた	老いぼれた	worn out and old
いわゆる		so-called
ぶたいよう	舞台用	for a stage
メーク		makeup
すさまじい		terrifying
ぎょうそう	形相	look
えんげき	演劇	drama, play
としより	年寄り	old person, the old
あんがい	案外	unexpectedly
シェークスピア		Shakespeare
やきなおし	焼き直し	adaptation
「リアおう」	「リア王」	"King Lear"（title of a play）
てっていてきに	徹底的に	thoroughly, completely
おくがた	奥方	wife
そんざい	存在	existence
こせい	個性	personality
ころす	殺す	hide, kill
ぱっとみる	ぱっと見る	glance at
しばい	芝居	play, acting
じゆうほんぽう	自由奔放	free and aggressive
むきどう	無軌道	carefree
しらけた	白けた	indifferent
ぴったり		just right, perfect
つながり		connection
あらすじ		plot, summary
とぶ		jump
パンパンと		skippingly
きたいする	期待する	expect

ぎゃくに	逆に	on the other hand, from the other side
あんじ	暗示	implication, hint
ぱらっと		by chance, casually
ちゅういぶかく	注意深く	carefully
まず～ない		not ~ at all
えいぞうしょり	映像処理	picture editing
テンポ		tempo, speed
つうようする	通用する	be understood, be adaptable
しんりげき	心理劇	psychological play
えいぞうかする	映像化する	film, put (it) on film

るから、それが合理的な習慣ではないことはたしかで
あった。それに欧米諸国では頭の毛をそるのは監獄の囚
人だけであったから、日本人のこのような習慣は欧米人
の目からみると、非常に奇妙に見えた。またちょんまげ
を結うこと自体、手間と時間と経費がかかって不経済な
上に、そんなものを頭の上にのせていたのでは、働くの
に不便であった。

　したがって政府としては、日本の国民が一日も早く、
このような習慣から足を洗い、欧米諸国なみに散髪して
くれることを希望していた。しかし、長い間日本人が守っ
てきた習慣を今すぐやめろといっても、それが簡単にや
められるものではないことは、政府もよく承知していた。
そこで政府は結髪の禁止ではなく、散髪の自由を認める
ことによって漸次散髪の気運を盛り上げていこうとした
のであった。

　政府の意図を受けていち早く散髪に踏み切ったのは、
東京の火消し人足や鳶頭、その他の道具持ちなどであっ
た。かれらには髪を切ったほうが仕事がしやすいという
実用的な理由があったからである。しかし、国民のだれ〳

もがこんなぐあいに散髪を実行したわけではなかった。
かれらの多くは世間の評判を気にして、親が許さない、
女房が承知しないなどと言って、なかなか切ろうとはし
なかった。

　明治初期の文明開化政策の本質は、政府の基礎そのも
のを揺るがすようなもの、例えば欧米の思想の輸入など
には手を触れず、表面的な風俗・習慣など、欧米文明の
外側ともいうべきものだけを取り入れるというもので
あった。しかし、この外側だけの欧米文明の輸入でも、
それまで日本以外の世界を見たことのなかった一般庶民
にとっては、驚天動地の出来事に違いなかった。それは
それまでの日本人の風俗や生活習慣の上に、画期的な変
化をもたらすものであったからである。したがってこの
ような変革を意識的に押し進めようとする政府の政策
が、国民の間に大きな波乱を呼びおこしたことは、いう
までもなかった。

（具島兼三郎『文明への脱皮』九州大学出版会 より）

読む練習

散髪脱刀随意令

明治初期の時代というのは、日本が前近代的な社会から近代的な社会に移っていこうとする過渡期であったから、近代化が一応板についた今日の時代からふりかえってみると今では当然のこととして、なんの抵抗もなく受けいれられていることでも、その一つ一つが抵抗を受け、摩擦をおこしていたことがわかる。

「散髪脱刀勝手たるべし」とのお布令が出たのは、明治四年（一八七一年）九月二三日のことであった。それまで日本人の男性の大部分は図のような半髪で、髪の毛をそった前頭部は月代（さかやき）とよばれた。しかし、考えてみると月代をそる習慣といい、まげを結ぶ習慣というのも、実はおかしなものであった。髪はもともと頭脳を保護するためにあるのに、わざわざそれをそるのであ↖

月代（さかやき）

まげ（ちょんまげ）

ちょんまげ

単 語 表

散髪脱刀随意令	さんぱつだっとうずい いれい	(government ordinance which in- formed people that they were free to cut off their topknot and not to carry swords)
明治	めいじ	Meiji Era
過渡期	かとき	transition period
板につく	いたにつく	settle
抵抗	ていこう	resistance
摩擦	まさつ	friction, trouble
勝手たるべし	かってたるべし	should be free
お布令	おふれ	official announcement
半髪	はんぱつ	(name of a hair style) a half shaven head
頭脳	ずのう	head (and brain)
監獄	かんごく	prison
囚人	しゅうじん	prisoner
奇妙な	きみょうな	strange
結う	ゆう	tie or set one's hair
手間	てま	work
経費	けいひ	expenses
足を洗う	あしをあらう	get out, get off
散髪する	さんぱつする	get a hair cut
承知する	しょうちする	know
漸次	ぜんじ	gradually, little by little
結髪	けっぱつ	doing up one's hair, topknot
気運	きうん	tendency
盛り上げる	もりあげる	rise
意図	いと	intention
踏み切る	ふみきる	launch, start
火消し人足	ひけしにんそく	fireman
鳶頭	とびがしら	(foreman of workers for construc- tion)
世間	せけん	world
評判	ひょうばん	reputation
女房	にょうぼう	wife

承知する	しょうちする	agree
文明開化	ぶんめいかいか	civilization
揺るがす	ゆるがす	shake
手を触れず	てをふれず	not to touch
風俗	ふうぞく	customs
庶民	しょみん	average people
驚天動地	きょうてんどうち	startling
画期的な	かっきてきな	epoch-making
もたらす		bring
波乱	はらん	trouble, disturbance
呼びおこす	よびおこす	cause

第 15 課

別 れ を 告 げ る

○そろそろ……。

○じゃ，これで。

○ちょっと帰ってしたいこともあるもんですから，これで。

○本当に，どうもごちそうになりました。

○三日に帰ることになりました。どうもお世話になりました。

○いろいろお世話になりました。

○（木村先生に）よろしくお伝えください。

○じゃ，これで失礼します。先生，お元気で。

会　　話

会話　1

林： ルインの先輩

ルイン： そろそろ……。

林の妻： まあ，まだよろしいじゃありませんか。

ルイン： はあ。

林　　： さあ，もう一杯。

ルイン： もう十分いただきました。

林　　： このくらい飲んだうちにはいらないよ。⁽¹⁾

林の妻： お強いんでしょ。もっと召し上がってください。

ルイン： じゃ，もう一杯だけ……。

林　　： ルインさん，今度の休み，どっかへ行くんだって。

ルイン： ええ。東北のほうへ行ってみようと思ってます。

林　　： ほう。またヒッチハイク。

ルイン： はあ。

林　　： いいなあ，気楽で。

ルイン： ええ，まあ。

林　　： 日本語の勉強のためにもなるだろうしね。

ルイン： はあ。

　　　　 じゃ，これで。

林　　： もう。

ルイン： ええ，ちょっと帰ってしたいこともあるもんですから，これで。

林　　： そう。じゃ，また今度ゆっくりね。

ルイン： 　はい。

　　　　　 本当に，どうもごちそうになりました。

林の妻： 　いいえ，何もお構いできませんで。

　　　　　 ぜひ，またいらしてくださいね。(2)

ルイン： 　はい。ありがとうございます。

会話　2

ペレス： 　あのう，先生，三日に帰ることになりました。どうもお世話になりま

　　　　　 した。

先生　： 　あ，そう。もう切符がとれたの。

ペレス： 　ええ。14時5分発のJALで。

先生　： 　成田から。

ペレス： 　ええ。

先生　： 　いよいよお別れね。(3)

ペレス： 　はい。いろいろお世話になりました。

先生　： 　いいえ。荷物はもう整理できたの。

ペレス： 　はい。陶器をたくさん買い込んだもんですから，こわれないようにつ

　　　　　 つむのがたいへんでした。

先生　： 　そう。よっぽど注意してもこわれるんですってね。

ペレス： 　ええ。リードさんが送った時もいくつかこわれてたそうです。

先生　： 　あら，そう。たいへんね。

　　　　　　でも，ペレスさんがいなくなるとさびしくなるわ。

ペレス：　そうですか。先生，ぜひブラジルにいらしてください。

先生　：　そうね。行きたいわね。ペレスさん，また日本に来られるわよね。

ペレス：　ええ，来たいと思っています。

先生　：　楽しみにしてるわ。

ペレス：　あのう，木村先生は。

先生　：　今日はもうお帰りになったわ。

ペレス：　そうですか。じゃ，よろしくお伝えください。

先生　：　うん。お伝えしとくわ。

ペレス：　じゃ，これで失礼します。先生，お元気で。

先生　：　ありがとう。見送りには行けないけど，ペレスさんもお元気でね。

ペレス：　はい。

先生　：　じゃ，気をつけて。

ペレス：　はい。では。

会話ノート

1. Vocabulary list

別れを告げる	わかれをつげる	say good-bye

＜会話1＞

林	はやし	(family name)
（～た）うちにはいらない		cannot count as ～
東北	とうほく	(northeast part of the main island of Japan)
ヒッチハイク		hitchhiking
気楽な	きらくな	carefree
ごちそうになる		be treated, be a guest for a meal
構う	かまう	take care
何もお構いできませんで。		Not at all.

＜会話2＞

切符をとる	きっぷをとる	get a ticket
JAL	ジャル	Japan Air Lines
成田	なりた	(name of the Tokyo International Airport)
荷物	にもつ	belongings
整理する	せいりする	sort out
陶器	とうき	chinaware
買い込む	かいこむ	buy a lot
こわれる		break
つつむ		pack, wrap
よっぽど		＝よほど, very, much
さびしくなる		miss, feel lonesome
楽しみにする	たのしみにする	look forward to
木村	きむら	(family name)
よろしく伝える	よろしくつたえる	give one's best regards (to)
見送る	みおくる	see (someone) off

2．Expressions

(1)　～うちに（は）はいらない　(cannot count as ～)

This is an idiomatic expression, always used in a negative form, which shows the strong feeling of the speaker who wants to express that something is not enough as far as he/she is concerned.

　　（例）１．５分しか走っていないから，走ったうちに（は）はいりません。
　　　　　２．ビールをコップに一杯なんて，飲んだうちに（は）はいりませんよ。

(2)　ぜひ　(surely, definitely)

This is an adverb which is used in a positive sentence to emphasize the speaker's feeling concerning "hope", "wish" or "duty."

　　（例）１．こんどはぜひおいでください。
　　　　　２．ぜひその映画を見たいと思っています。
　　　　　３．この試験にはぜひ合格しなければなりません。

(3)　いよいよ　(at last, finally)

This is an adverb which is used to show that the time for something is coming close, and it usually modifies a sentence such as "始まります, 終わります, お別れです." This is similar to "ついに" or "とうとう" in its meaning, but it is mainly used in a situation concerning time while the others are used in some other situations as well.

3．Aspects of the discourse

Leaving elements unsaid（3）

Giving advice

「～ほう（が）」「～たら」

There are several expressions for giving advice. Both "～ほうがいいです" and "～たらどうですか" are the common expressions.
"～ほうがいい" means "It might be better if you (we) ～" and "～たらどうですか" means "Why don't you ～ ?" And the last part of the sentence following "～ほうが" or "～たら" can often be left out.
For instance,

（例）A：　ああ，頭がいたい。
　　　B：　だいじょうぶですか。
　　　A：　ええ，すこし熱があるんです。
　　　B：　じゃあ，病院に行ったほうが……。
　　　A：　ええ。

It is not easy to give advice politely. Some people say that the inferior should avoid giving advice to the superior. When one uses "〜たほうが……" expression in a polite situation, one has to change the verb into the honorific form and end the sentence in a hesitant, dangling tone as in

　　　　　病院にいらっしゃったほうが……。

"〜たら……" expression can be used only in an informal conversation when giving advice to a familiar person.

「〜と」

（例）1．A：　よくタバコをすいますね。
　　　　　B：　ええ。ちょっとすいすぎだと思います。
　　　　　A：　そうですね。
　　　　　B：　ええ。
　　　　　A：　あまりすいすぎると……。
　　　　　B：　ええ。わかってます。

　　　2．A：　よくタバコをすいますね。
　　　　　B：　ええ。ちょっとすいすぎだと思います。
　　　　　A：　そうですね。
　　　　　B：　ええ。
　　　　　A：　タバコをやめないと……。
　　　　　B：　ええ。わかってます。

"あまりすいすぎると……" literally means "If you smoke too much......" "タバコをやめないと……" literally means "If you don't stop smoking......" Both of the sentences, however, actually convey the meaning that you should cut down smoking, or that you should stop smoking.
If the speaker A completes the sentence as in

　　　　あまりすいすぎると，
　　　　　　　　　　　　　　＞　病気になりますよ。
　　　　タバコをやめないと，

it may sound more demanding or as if B were criticized. Thus the speaker A chooses to end the sentence with "～と," because of his reserve.

Leaving the concluding part unsaid in this way is not a sign of poor speaking, but is rather regarded as positively good, because it shows consideration towards others.

文　法

I. Expressions for showing purpose

There are various expressions for showing purpose in Japanese. The typical usages are shown below.

A. Use of "ために"

"ため" means "purpose" and acts as a noun. "ために" modified by a clause ［C1］, functions as a verb-modifier for the following clause ［C2］. The sentence structure is as follows.

"C1 ending with the imperfective form of a verb ＋ために, C2."

In most cases, verbs which show an action are used in C1, but verbs which show a state cannot be used. The subject in C1 should be the same as the one in C2.

（例）1．いろいろなことを知るために外国へ行くんです。
　　　2．車を買うために，ずっとお金をためてきました。
　　　3．日本語を勉強するために，日本へ来たんです。

The potential form of a verb followed by "ようになる" can be used in C1.

（例）1．日本語がもっと上手に話せるようになるためには，日本人の友達を作るの
　　　　　が一番いいようです。
　　　2．コンピューターを使いこなせるようになるためには，5年はがんばらない
　　　　　とだめですね。
　　　3．はやく一人で歩けるようになるために，病院でがんばっています。

[Note]　"ために" means either "in order to," "owing to" or "because of." The exact meaning is determined by the context. Note the usage of "ために" in the following.

（例）1．やせるために，毎朝ジョギングをしています。(purpose)
　　　2．ふとっているために，甘いものは食べないようにしています。(reason)
　　　3．子供のために，ずいぶん苦労しました。(reason)

4．子供のために，毎月貯金を続けています。（purpose or reason）

5．コンサートへ行くために，仕事をはやく終わらせました。（purpose）

6．コンサートへ行ったために，仕事ができなくなってしまいました。

（reason）

B．Use of "ように"

"よう" shows the meaning "achieving the purpose" and acts as a noun. It is modified by a clause in the same way as "よう" in "clause ＋ようです." It also functions as a verb- modifier for the following clause. The sentence structure is as follows.

"C1 ending with the imperfective form of a verb ＋ように, C2"

In the above, C1 shows purpose, hope or expectation for C2. Typical types of verbs are given below.

1．Intransitive verbs

（例）1．授業に間に合うように，走って行ったんです。
2．私によくわかるように説明してください。

2．Negative form of a verb

（例）1．忘れないようにノートに書いておきましょう。
2．あとになって困らないように，今から準備したほうがいいですよ。

3．Potential form of a verb

（例）1．みんながよくできるように，試験をやさしくした。
2．みんなに聞こえるように，大きな声で話した。

C．Use of the particle "に"

The particle "に" can also indicate the purpose of the action described by the following verb. It is preceded by :

1．verb base,
2．noun or
3．clause ＋の.

1．Verb base ＋ に

This pattern is directly followed by verbs which show the motion of the actor such as "行く，来る，帰る" etc.

（例）1．本を買いに行きました。
　　　 2．ルインさんに会いに来ました。

The pattern above is appropriate in daily conversation for showing the purpose of the action described by the predicate, and is changed to "Clause ＋ ために" to increase formality.

（例）1．現代文学を研究するために，日本にまいりました。
　　　 2．国際問題について話し合うために,世界各国の代表者が京都に来ています。

[Note]　A Kanji compound word ＋し＋に, like "勉強しに行く," often changes to a Kanji compound word ＋ に, like "勉強に行く." Kanji compound words such as "研究，相談，質問 and 見学" which have a verbal feature can be directly followed by the particle "に" showing purpose.

2．Noun ＋ に

This type of "に" has already been introduced in Lesson 1, p. 8, in "A Course in Modern Japanese Vol. III."

　　　　[Noun が＋ Noun に＋ Predicate]

In the above pattern, "に" indicates purpose, when predicates "必要だ，いい，適当だ，役に立つ，かかる，etc." are used.

（例）1．この薬が頭痛にとてもいいんです。
　　　 2．この本は経済学の研究に役に立つと思います。
　　　 3．旅行にはたくさんのお金がかかるかもしれません。

3．Clause ＋ の ＋ に

"Clause ＋ の" followed by "に" is used in the same way as "Noun ＋に" mentioned above.

（例）1．このコップは，ビールを飲むのにちょうどいいと思います。
　　　 2．静かな音楽は，人の心をリラックスさせるのに役に立ちます。
　　　 3．全部やってしまうのには，まだ，だいぶ時間がかかるようです。

　　　　　4．友達になるのにことばは必要ではありません。

This pattern often means "in the process of."

　（例）1．漢字を調べるのに辞書を使います。
　　　　2．資料を集めるのに，毎日図書館に通いました。

[Note]　Compare these three sentences below.
　　　　(1)　酒を飲むために友人のうちへ行きました。
　　　　(2)　酒を飲むのに友人のうちへ行きました。
　　　　(3)　酒を飲みに友人のうちへ行きました。

In the above sentences, (1) means that drinking is the primary purpose and is emphasized. (2) implies that the speaker has used time and taken trouble going to his friend's house to drink, while (3) shows the mere purpose of visiting his friend.

II.　Expressions of hearsay:　～そうだ，～と言っていた and ～って

A message from someone or a fact overheard is often conveyed in the following patterns.
　　　　A．[message] そうだ/そうです
　　　　B．[message] と言っていた/言っていました
　　　　C．[message] って

　（例）1．明日は雨だそうです。
　　　　2．明日は雨だと言っていました。
　　　　3．夏はとても暑いそうです。
　　　　4．夏はとても暑いと言っていました。
　　　　5．どこかへ行くんだって。
　　　　6．もう国に帰るんですって。

It may seem that these three expressions A, B and C given above don't differ in their usage, but strictly speaking, there is a little difference. If the message "もう一度電話します" must be conveyed, the form can be as follows.
　　　　A．もう一度電話してくれるそうです。
　　　　B．もう一度電話すると言っていました。
　　　　B'．もう一度電話してくれると言っていました。
The difference between A and B, B' occurs because of the verb "電話します." The action shown by this verb always needs a receiver of the action. When this kind of

verb is followed by "そうです," the form of the message should be changed as seen in A; such as "電話します（電話する）" to "電話してくれる." On the other hand, when the message "電話します" is followed by "言っています/言っていました," it is not always necessary to change its form. That is to say, "電話すると言っていました" is direct discourse, while "電話してくれるそうです" is indirect discourse.

The following show how to transform the message preceding "そうです" depending on the verb in the message.

Strategy	Message	Form of a message
a．politeness	勉強します	勉強するそうです 勉強すると言っていました 勉強しますと言っていました
b．direction	そちらへ行きます	こちらに来るそうです こちらに来ると言っていました そちらへ行くと言っていました
c．time	明日調べます* * The speaker received the message yesterday and conveyed it today.	今日調べるそうです 今日調べると言っていました 明日調べると言っていました
d．giving	お金をあげます	お金をくれるそうです お金をくれると言っていました お金をあげると言っていました

練　　習

１．用法練習

＜１＞会話の下線のある部分を，下の１〜５の言い方にかえて練習しなさい。

　　先生のきびしいお言葉がもう聞けない
　　　　　［Ａ…もうすぐ帰国する学生　　Ｂ…指導教官
　　　　　ＡとＢは食事をしながら話している］
　　　　　　　　　　　　　　　　　：

　　Ａ：　いろいろご迷惑をおかけしました。
　　Ｂ：　いやいや，こっちも言いすぎたこともあってね……。
　　Ａ：　いいえ。先生のきびしいお言葉が……もう聞けないかと思うと……。
　　Ｂ：　しかし，それにしてもルインさんはよく勉強したね。
　　Ａ：　ええ，でも，たいへんでした。
　　Ｂ：　うん。
　　Ａ：　でも，いい思い出です。

　　　　　１．先生の授業にもう出られない
　　　　　２．先生にもう教えていただけない
　　　　　３．先生にもうご相談できない
　　　　　４．先生のアドバイスをもういただけない
　　　　　５．先生ともうこうして飲めない

きびしい		harsh
もうすぐ		very soon, before long
帰国する	きこくする	go back to one's own country
指導教官	しどうきょうかん	adviser
迷惑をかける	めいわくをかける	cause trouble
それにしても		in fact, actually
思い出	おもいで	memory
相談する	そうだんする	consult with
アドバイス		advice

＜2＞会話の下線のある部分を，下の1〜5の言い方にかえて練習しなさい。

じゃ,そういうことで
　　　　[A…学生　B…Aの先輩（男性）　AがBに電話をしているところ]
　　　　　　　　　　　　　:
　A：　あっ，それからテープレコーダーのほうなんですが。
　B：　うん。
　A：　これもセンターのが借りられるんじゃないかと。
　B：　あ，そうだねえ。じゃ，センターにはぼくから話しとくよ。
　A：　あ，そうですか。
　B：　5台，だったね。
　A：　はい，そうです。
　B：　わかった。じゃ，そういうことで。
　A：　はい，よろしくお願いします。

　　　　1．じゃ，きょうはこれで
　　　　2．じゃ，何かあったら，こっちからも連絡するよ。
　　　　3．それじゃあ
　　　　4．今んところはこれくらいかな
　　　　5．きょうのところはそんなとこかな

　　　　〜台　　　　　　　　〜だい　　　　　　　（counter for machin-
　　　　　　　　　　　　　　　　　　　　　　　　　ery）

　　　　連絡する　　　　　れんらくする　　　　get in touch

＜3＞会話の下線のある部分を，下の1〜5の言い方にかえて練習しなさい。

また日本に来たら電話ぐらいはする
　　　［A…Bの先輩（男性）　B…もうすぐ帰国する学生（女性）
　　　Bが別れのあいさつに来ることになっているので，Aはそれを待っている］
　　A：　お，やっと現れた。
　　B：　すみませーん。なんかいそがしくて……。
　　A：　そうだろうね。でも，こういうあいさつはてれくさいな……。
　　B：　じつは，わたしも。
　　A：　ね。
　　B：　ええ。
　　A：　まあ，また日本に来たら電話ぐらいはしてよね。
　　B：　はい。……じゃあ。
　　A：　じゃあね。

　　　　1．年賀状ぐらいは書く
　　　　2．何かあったら教える
　　　　3．たまには近況ぐらい知らせる
　　　　4．ひまがあったら手紙ぐらいは書く
　　　　5．日本に来る時には連絡ぐらいする

てれくさい		embarrassed
電話ぐらいはする	でんわぐらいはする	make a call or something
別れ	わかれ	farewell, parting
別れのあいさつ	わかれのあいさつ	saying "Good-bye"
やっと		at last, finally
現れる	あらわれる	appear, come
年賀状	ねんがじょう	New Year's card
近況	きんきょう	one's recent situation

2．談話練習

場面練習

次の会話を練習しなさい。

＜1＞ A： ああ，頭が痛い。
　　　 B： かぜですか。
　　　 A： ええ。たぶん。
　　　 B： きょうは，もう帰ったほうが……。
　　　 A： ええ。そうします。

＜2＞ A： ああ，頭が痛い。
　　　 B： かぜですか。
　　　 A： ええ。たぶん。
　　　 B： はやくなおさないと……。
　　　 A： ええ。

＜3＞ A： ああ，頭が痛い。
　　　 B： かぜ。
　　　 A： うん。たぶん。
　　　 B： きょうは，もう帰ったら。
　　　 A： うん。そうする。

練　習

＜1＞ 1）A： バンバンさんは，あした来ますか。
　　　　　 B： ええ。来ると思いますけど……。
　　　　　 A： あ，そうですか。
　　　　　 B： でも，直接聞いたほうが……。
　　　　　 A： そうですね。
　　　　　 B： ええ。
　　　　　 A： じゃあ……。

　　　　　　　　　　　　 直接　　　　　ちょくせつ　　　　　　directly

　　　 2）A： 今，何時ですか。
　　　　　 B： 12時30分です。
　　　　　 A： あっ，もうそろそろ行かないと……。

　　　　　B：　あ，そうですね。
　　　　　A：　ええ。
　　　　　B：　間に合いませんね。
　　　　　A：　ええ。

　　　　　　　　　　　間に合う　　　　まにあう　　　　　　　be on/in time

　　3）A：　飛行機の予約，もうしたんでしょう。
　　　　　B：　いいえ。まだです。
　　　　　A：　はやくしたほうが……。
　　　　　B：　あ，そうですか。
　　　　　A：　ええ。これから旅行シーズンで，はやくしないと……。
　　　　　B：　ああ，そうですか。
　　　　　A：　ええ。

　　　　　　　　　　　飛行機　　　　　ひこうき　　　　　　　plane

＜2＞　1）A：　どれにしようかな。
　　　　　B：　そうねえ。あっ，これにしたら。
　　　　　A：　どれ。
　　　　　B：　これ。
　　　　　A：　あ，いいねえ。

　　2）A：　あっ，教科書，わすれちゃった。
　　　　　B：　先生にお借りしたら。
　　　　　A：　そうね。そうしよう。

　　3）A：　これ，どういう意味かなあ。
　　　　　B：　どれ。
　　　　　A：　これ。
　　　　　B：　うーん。専門の先生に聞いてみたら。
　　　　　A：　そうね。そうしよう。

＜3＞　＿＿のところを自分で作って，会話を練習しなさい。

　　1）A：　何時の約束なの。
　　　　　B：　3時。
　　　　　A：　じゃあ，そろそろ＿＿＿＿＿＿＿＿＿＿＿。

　　2）A：　ああ，疲れた。

B：少し_____。
A：でも，時間がありませんから。

3）A：この漢字，何て読むんですか
　　B：_____。
　　A：はーい。わかりました。

4）A：この字，読みにくいなあ。
　　B：どれ。うーん，これじゃあちょっと……。
　　A：ねえ。
　　B：書いた人_____。
　　A：そうね。聞いてみよう。

3．文法練習

＜１＞「～ように」の練習 （I-B-3）
会話の下線のある部分を，下の１～５の言い方にかえて練習しなさい。

持つ，軽くする
A： あの，こちらを見ていただきたいんですが。
B： はい。
A： これは，子供にも持てるように軽くしてあるんです。
B： へええ，なかなかよく考えてあるんですねえ。

1．使う　　　　小さくする
2．組み立てる　工夫する
3．操作する　　簡単にする
4．運ぶ　　　　キャスターをつける
5．押す　　　　ボタンの位置を低くする

軽くする	かるくする	lighten
組み立てる	くみたてる	assemble
操作する	そうさする	operate
キャスター		caster
低くする	ひくくする	lower

＜２＞「～（の）に」の練習 （I-C-3）
会話の下線のある部分を，下の１～５の言い方にかえて練習しなさい。

翻訳する，１週間　　タイプ，２日
⋮

A： どのくらいかかると思う。
B： そうですね。翻訳するのに１週間……。
A： そのあとタイプに２日，ぐらいかな。
B： そうですね。そんなところですね。

1．校正する，４日　　　　　　印刷，１日
2．まとめる，１，２週間　　　ワープロ，２日か３日
3．書きあげる，１か月　　　　見直し，２，３日
4．願書をとりよせる，１週間　手続き，４，５日

5．構想を練る，半年　　　　　文献さがし，3か月

翻訳する	ほんやくする	translate
校正する	こうせいする	read proofs
印刷	いんさつ	printing
まとめる		put together
書きあげる	かきあげる	finish writing
見直し	みなおし	read（it）again, checking
願書	がんしょ	application form
とりよせる		get, obtain
手続き	てつづき	procedure
構想を練る	こうそうをねる	work over one's ideas
文献	ぶんけん	reference books, papers or records

< 3 >"Expressions of hearsay" の練習　（II）

　　テープに会話 A が入っています。それを聞き，下の 1～5 のことばを使って例の会話 B のような会話を作り，練習しなさい。

例　　　会話 A
　　　　　　　B　　　　：　あのう，これ，いつまでですか。
　　　　　事務の人：　4日までにお願いします。
　　　　　　　B　　　　：　はい。

　　　　会話 B　　事務の人
　　　　　　　A：　それで事務の人は何だって。
　　　　　　　B：　4日までって言ってるんだけど……。
　　　　　　　A：　そう。

1．お店の人
2．お医者さん
3．ルインさん
4．先生

推薦状	すいせんじょう	letter of recommendation
就職試験	しゅうしょくしけん	employment examination

5．事務の人

聞 く 練 習

A 電話教育相談

たいしょう	対象	object
りゅうねんする	留年する	remain in the same class for another year
どっか		＝どこか
よその		other
やりなおす		do over again, try again
ほんにん	本人	the person in question
きぼう	希望	hope
ぶらぶらする		idle one's time away, lead an idle life
ふきそく	不規則	irregular
ひとりっこ	一人っ子	only child
しせつ	施設	facility
ぶじ	無事	without any trouble
そつぎょうする	卒業する	graduate
ていど	程度	extent, degree
たしょう	多少	more or less
きぶん	気分	state of mind, mood
いらいら(する)		nervousness
よごれる	汚れる	be stained, become dirty
ちりょうする	治療する	receive treatment
きょくたんな	極端な	extreme
けつろん	結論	conclusion
さいだいの	最大の	best
うったえる	訴える	complain
たんなる	単なる	mere, simple
げんしょう	現象	phenomenon
～にすぎない		be nothing but, be no more than
きがすむ	気がすむ	be satisfied
ふけつきょうふしょう	不潔恐怖症	phobia against uncleanness or dirtiness
ねうち	値打ち	worth
みとめる	認める	admit
けいこくする	警告する	warn

とりこしぐろう	取り越し苦労	needless worry
こんぽん	根本	root, essence
てもと	手元	under one's care
せんねんする	専念する	devote oneself to
ししゅんき	思春期	adolescence
なれた	慣れた	experienced, be used to
しっかりとした	確りとした	sound, reliable
しどう	指導	advice, direction
のりこえる	乗り越える	overcome
さがす	探す	seek

B 歌「道化師のソネット」をきく

道化師	どうけし	clown
ソネット		sonnet
し	詩	poem
けいしき	形式	form
ピエロ		clown
きょく	曲	music
いきがい	生きがい	meaning of life
みいだす	見出す	find out
てつがくてき（な）	哲学的（な）	philosophical
かし	歌詞	lyrics, words of a song
すくう	救う	save, help out
つらい		hard, difficult
じゅんじょう（な）	純情（な）	innocent
いっしょうけんめい	一生懸命	making an effort, doing one's best
にもつ	荷物	burden
ときのながれ	時の流れ	passing of time
くだる	下る	go down, float down
ふなびと	舟人	mariner(s)
なかま	仲間	friends, associates
いのち	命	life
ほとり		side
れんたいいしき	連帯意識	recognition of a link with other people, consciousness of a relationship

written form (handwritten note next to ほとり)

「道化師のソネット」

作詞・作曲：さだまさし

1.　　笑ってよ　君のために　笑ってよ　僕のために
　　僕たちは小さな舟に　哀しみという荷物を積んで
　　時の流れを下ってゆく　舟人たちのようだね
　　君のその小さな手には　もちきれない程の哀しみを
　　せめて笑顔が救うのなら　僕は道化師になれるよ

　　　笑ってよ　君のために　笑ってよ　僕のために
　　　きっと誰もが　同じ河のほとりを歩いている

2.　僕等は別々の山を　それぞれの高さ目指して
　　息もつかずに登ってゆく　山びと達のようだね
　　君のその小さな腕に　支えきれない程の哀しみを
　　せめて笑顔が救うのなら　僕は道化師になろう

　　　笑ってよ　君のために　笑ってよ　僕のために
　　　いつか真実に　笑いながら話せる日がくるから

　　　笑ってよ　君のために　笑ってよ　僕のために
　　　笑ってよ　君のために　笑ってよ　僕のために

（日本音楽著作権協会（出）許諾第 8964016-304 号）

（日本音楽著作権協会（出）許諾第 8964016-304 号）

では、このような料金制度が実現されないのであろうか。

直接には、国の交通行政の考え方に問題があるわけであるが、そのもとにあるのは、都市交通はきわめて公共的なものであって、できれば無料ででも提供されるべきものであり、価格操作などの手段によって効率化を図るといったことはすべきではないと考えている人が多いからではないだろうか。一九八七年三月三一日、国鉄が分割民営化される前夜、「明日からはわれわれの足が金もうけの手段になるかと思うと悲しい」と嘆いたテレビ・キャスターがいたことを思い出す。このような、価値判断と政策手段をごちゃまぜにした議論のまかり通る社会は、必ず活力を失う。東京はまさに活力を失おうとしているのかも知れない。

（目良浩一・宮尾尊弘・坂下昇『「東京問題」の解決策』HBJ出版局 より）

満員電車

読む練習

東京問題の解決策
——エコノミストの分析と提言——

通勤地獄の苦痛は耐えがたいものである。しかし、多くの人が唯唯諾諾（いいだくだく）と毎日それをがまんしているのは、おそらく人々が、当面実行可能な解決策は何一つないと考え、したがってあきらめているからだと思われる。

だが、われわれ経済学者は、この問題に対して明快な解決策を提案する。いわゆる「混雑税」や「ピークロード・プライシング」の考え方に沿って通勤時の電車料金を思い切って高くすべきであると。混雑のひどいピーク時の料金を引き上げ、それほど混雑しないオフピーク時には低い料金にすれば、まず混雑時に電車に乗る必要のない人々は、わざわざ高い料金を払うことをさけて、オフピーク時に出かけるようになるだろう。これはその人々

たちの利益になるばかりでなく、ピーク時の混雑を多少緩和することによって、どうしてもピーク時に通勤しなければならない人々にとってもプラスになる。より快適な通勤のためには、多少高い料金を払ってもよいと思っている人は多いと思われるから、このような工夫は歓迎されるに違いない。

さらに通勤費を払う企業は、いままであまり取り入れていない「フレックス・タイム」、時差出勤のシステムを本格的に実施し、ピーク時の高い通勤費の負担を回避しようとするであろう。その結果、都市交通の流れは平均化され、ピーク時の混雑が緩和される。それだけにとどまらず、やがていくつかの企業は、その活動の一部を都心から社員の居住地に近い郊外に移し、費用負担をさらに下げようとするかもしれない。こうして事務所活動のある程度の分散が実現する。一方、交通システムの運営主体は、混雑時の高い料金によって収入が増加するので、それによってシステムの改良、特にネックとなっている部分の整備強化を行うことができる。

以上よいことづくめなのであるが、それではなぜ現実

単 語 表

解決策	かいけつさく	plan for solution
分析	ぶんせき	analysis
提言	ていげん	suggestion, advice
通勤地獄	つうきんじごく	commuting hell
耐える	たえる	endure, stand
唯唯諾諾と	いいだくだくと	obediently, tamely
混雑税	こんざつぜい	congestion tax
ピークロード・プライシング		peak load pricing
沿う	そう	be along
利益	りえき	advantage
緩和する	かんわする	ease, relieve
工夫	くふう	arrangement, plan
歓迎する	かんげいする	welcome, accept happily
時差出勤	じさしゅっきん	staggered commuting hours
実施する	じっしする	carry out
負担	ふたん	charge, expenses
回避する	かいひする	avoid
運営主体	うんえいしゅたい	(transportation) management organization
行う	おこなう	do, undergo
～づくめ		full of ～
行政	ぎょうせい	administration
無料	むりょう	free
価格操作	かかくそうさ	controlling prices
図る	はかる	try to
分割	ぶんかつ	partition, division
民営化	みんえいか	privatization
嘆く	なげく	complain
価値判断	かちはんだん	value judgement
政策手段	せいさくしゅだん	means for carrying out a policy
ごちゃまぜにする		mix ～ at random
まかり通る	まかりとおる	have its own way
必ず	かならず	definitely, by all means

第 16 課

満足する・後悔する

○すごくよかったです。

○おもしろかったです。

○ものすごいんです。

○あんなすばらしいのを見たのははじめてです。

○もう一度見てみたいと思いますね。

○行ったかいがありました。

○時間ちゃんと調べてくれればよかった。

○残念ね。わたしここ，一番見たかったのに。

○あんなにゆっくりしなきゃよかったわね。

○あれが悪かった。

○こっちを先にしなきゃいけなかったわね。

会　　話

会話　1

先生　：　どうでした，きのうの歌舞伎。

バミロ：　すごくよかったです。ね。

シルバ：　うん。おもしろかったです。

先生　：　あ，そうですか。

バミロ：　衣裳も仕掛けもものすごいんです。

シルバ：　そうね。

バミロ：　うん。あんなすばらしいのを見たのははじめてです。やっぱり高いだ⁽¹⁾
　　　　　けのことはありますね。

先生　：　あ，あれは仕掛けがこってて有名なんですよね。

バミロ：　もう一度見てみたいと思いますね。

先生　：　へえ。そんなによかったですか。

バミロ：　ええ。前に日本に来た時，まだなにがなんだかわかんないうちに歌舞
　　　　　伎につれていかれて，ええと，あれ何て言ったかなあ，何とかってい
　　　　　うのを見せられたんですけど，

先生　：　ええ。

バミロ：　その時はちっともいいと思わなかったんですけど，今度のはおもしろ
　　　　　くて……。

シルバ：　わたしも前から見たいと思ってたんで，本当によかったです。

先生　：　そうですか。

シルバ：　ええ。わたし，沖縄からきのうの朝帰ってきたんです。

先生　：　ええっ。

シルバ：　それで疲れちゃって，もうやめようかなと思ったんですけど，無理し

て行ったかい⁽²⁾がありました。

先生　：　そう。それはよかったですね。

会話　2

受付　：　もう入場時間は終わりました。

バミロ：　えっ。

受付　：　入場は4時までとなっております。

バミロ：　えっ，4時までなんですか。

リード：　5分すぎ……。もうだめなんですか。

受付　：　はい。もうきょうは終わりです。

リード：　わあ，そんな……。

バミロ：　時間ちゃんと調べてくればよかった。

リード：　ガイドブック，5時までって書いてあったと思ったけど……。

バミロ：　そう。

リード：　うん。あ，入館は9時から4時までって書いてある。

キム　：　うーん，残念ね。わたしここ，一番見たかったのに。

リード：　さっきのところであんなにゆっくりしなきゃよかったわね。

バミロ：　ほんと。だれだ，あそこでお茶飲もうなんて言い出したのは。

キム　：　わたしです。すいません。

バミロ：　そうだ。あれが悪かった。うん，もう，ついてないなあ。

リード：　ちょっと入れてくれてもいいのにね。

バミロ：　うん。でも妙円寺に行った時なんか1分すぎてただけなのにことわら
　　　　　れたよ。まったくお役所仕事っていうのは融通がきかないんだから。

リード：　そうね。ま，しょうがないわ。あきらめよう。

バミロ：　でもまた来ようたって簡単に来られないよ。

キム　：　そうね，こっちを先にしなきゃいけなかったわね。

会話ノート

1. Vocabulary list

満足する	まんぞくする	be satisfied
後悔する	こうかいする	regret

＜会話1＞

歌舞伎	かぶき	（Japanese traditional performance）
衣裳	いしょう	costume
仕掛け	しかけ	trick
ものすごい		tremendous
すばらしい		marvelous
～だけのことはある		be worthwhile to ～
こる		elaborate
なにがなんだかわかんない		be completely at a loss
ちっとも～ない		＝少しも～ない, not ～ at all
沖縄	おきなわ	（one of the prefectures of Japan）
無理する	むりする	force oneself to （do something）, try hard
かい		worth

＜会話2＞

入場時間	にゅうじょうじかん	visiting hours
～すぎ		after ～ （used with time）
ガイドブック		guide book
さっきのところ		place where one has been before now　さっき＝just before now
ゆっくりする		spend time leisurely
ついてない		be in bad luck
妙円寺	みょうえんじ	（name of a Buddhist temple）
お役所仕事	おやくしょしごと	bureaucratic system
融通がきかない	ゆうずうがきかない	inflexible
～たって		（「～といっても」の contracted form）
先に	さきに	before

2．Expressions

(1) やっぱり （after all, as I thought ［it］ might be）
The proper form of this adverb is やはり．It is often changed into "やっぱり" as a spoken word in daily conversation．"やっぱ" is also heard in conversation carried on by young people.

（例）1．行かないつもりでしたが，やっぱり行くことにします。
2．あの人はやっぱりよくがんばりました。

(2) ～かい/がい（worthwhile, meaning）
In many cases, this expression is used as follows: "～かい/がいがある" or "～かい/がいがない"．It is modified by a sentence or a verb base.

（例）1．とてもおもしろくて，来たかいがありました。
2．彼女がいなくては，生きるかいがありません。
3．仕事がわたしの生きがいです。

3．Aspects of the discourse

Independency of a sentence in spoken Japanese

A．Sentence composed of "Noun ＋ だ/です"

A Japanese sentence is independent when it contains one predicate．The structure is "Noun ＋ だ/です." "だ/です" is often omitted.

（例）1．A：あ，雨だ。
B：あ，本当だ。
2．A：あと 15 分で東京ですね。
B：そうですね。
3．A：あ，地震。
B：ちがうよ。車が通っただけだよ。
4．海だ。青い海だ。何万年も行き続けてきた海だ。（monologue）

B．Sentence composed of a predicate "adjective/verb"

A Japanese sentence is independent when it contains one verb or adjective.

（例）　1．Ａ：　あついですね。

　　　　　　Ｂ：　そうですね。たまりませんね。

　　　　2．Ａ：　にぎやかですね。

　　　　　　Ｂ：　まあ，一年に一度のことですからね。

　　　　3．Ａ：　もう帰りませんか。

　　　　　　Ｂ：　いや，まだ仕事があるので……。

A nominal phrase need not be mentioned when it can be understood from the preceding statement or the situation where the conversation is going on. A nominal phrase which is not mentioned can be understood by knowing the relationship between a verb and its particle, which was explained in Lesson 1 and 2, in "A Course in Modern Japanese Vol. III."

（例）　1．Ａ：　もらいました。

　　　　　　Ｂ：　何を。

　　　　　　Ａ：　チョコレート。

　　　　　　Ｂ：　だれに。

　　　　　　Ａ：　ゆかりさん。

　　　　2．Ａ：　（Ｂさんは）（友達に）（小包を）送りましたか。

　　　　　　Ｂ：　はい。（わたしは）（友達に）（小包を）送りました。

　　　　　　Ａ：　いつ送りましたか。

　　　　　　Ｂ：　きのう送りました。

C．Sentence which does not have a particle such as "が" "を" "は" etc.

In a simple sentence, "が" "を" "は" etc. can be omitted, especially when the sentence ends with a particle such as "か" "よ" "ね" "けど" etc. showing the speaker's emotional attitude.

（例）　1．Ａ：　この新聞，読みましたか。

　　　　　　Ｂ：　はい，もう読みました。

　　　　2．Ａ：　アリスさん，帰りましたか。

　　　　　　Ｂ：　ええ，さっき。

　　　　3．Ａ：　この本，おもしろいですよ。読んでみませんか。

　　　　　　Ｂ：　ちょっと見せてください。

　　　　4．Ａ：　これ，つまらないものですが。

　　　　　　Ｂ：　ああ，いつもすみません。

In 4 above, A cannot say "これはつまらないものですが," because the sentence with "は" gives an explanation of A's action, while the sentence without "は" shows the speaker's modesty.

文　　法

Ⅰ．Passive sentence

A．Passive form of verbs

A passive sentence always ends with the passive form of a verb. The way to make a passive form is given below.

Dictionary form	Negative form	Passive form
食べる	食べない	食べられる
教える	教えない	教えられる
見る	見ない	見られる
買う	買わない	買われる
書く	書かない	書かれる
話す	話さない	話される
待つ	待たない	待たれる
来る	こない	こられる
する	しない	される

B．Direct passive sentence

A sentence in which a transitive verb is used can be transformed into a direct passive sentence in the following way.

  a．［N1 が N2 を Verb］　→　b．［N2 が Verb in its passive form］

（例）1．a．（だれかが）友達をなぐりました。
   b．友達がなぐられました。
  2．a．（人が）いい絵を見ます。
   b．いい絵が見られます。
  3．a．（ある人が）1872 年にこの小説を書きました。
   b．この小説は 1872 年に書かれました。

The actor in a direct passive sentence（＝a person or a thing which acts as a direct object in a sentence with a transitive verb）is indicated by "に," "によって" or "から." The difference in their usage is as follows.

1．"に" indicates the actor in a conversational context. "に" is also used with verbs such as "言う，質問する，しかる，笑(わら)う，etc."

（例）1．ルインさんに，あした来るように言われました。
　　　2．宿題を忘れて，先生にしかられました。

2．"によって" means "by," "by means of" or "owing to," and indicates the actor in a formal or written style.

（例）1．電話はベルによって発明されました。
　　　2．アメリカはコロンブスによって発見されました。

3．"から" meaning "from" is used to indicate the source from which something is transmitted.

（例）1．この手紙は，中村さんから送られてきました。
　　　2．そのラジオはナショナルから発売されました。

C．Indirect passive sentence

An indirect passive sentence differs from a direct passive sentence in two ways:
1．an intransitive sentence can be transformed into the indirect passive;
2．a direct object in an active sentence with a transitive verb remains as the direct object in the transformed passive sentence.
The way to make an indirect passive sentence is given below.
　　　N が Intransitive Verb　　　→　　N に Verb in its passive form
　　　N1 が N2 を Transitive Verb　→　　N1 に N2 を Verb in its passive form

（例）1．いそがしい時に友達に来られて，困ってしまいました。
　　　2．かわいがっていた犬に死なれて，とてもつらかったです。
　　　3．ハイヒールをはいた女の人に足をふまれたんです。
　　　4．きのう知らない人にカバンを持っていかれた夢を見ました。

The examples given above show indirect passive sentences which involve negative connotations, that is to say, an unhappy feeling of the speaker is implied. The person who feels unhappy is indicated by the particle "は" or "が," if it's necessary.

（例）1．ルインさんは中村さんに文句を言われました。
　　　2．アリスさんは知らない人にカバンを持っていかれそうになりました。

II．Usage of "だけ"

"だけ" follows a noun, -な adjective, -い adjective or verb in the following ways.

     1．図書館だけ
     2．図書館でだけ
     3．しずかなだけ
     4．ひまだっただけ
     5．高いだけ
     6．おいしくないだけ
     7．話すだけ
     8．話しただけ

Particles "が" and "を" following "だけ" can be left out, but other particles such as "で," "から," etc. are kept.

"だけ" has three meanings．The first one is "only" or "just."

 （例）1．きのうは漢字だけ勉強しました。
    2．ルインさんとだけ話しました。
    3．ここだけのはなしですが，アリスさん，結婚するそうですよ。
    4．あのレストランは高いだけで，ぜんぜんおいしくありません。
    5．1分おくれただけで，こんなにしかられるなんて……。

The second meaning is "while."

 （例）1．このしばいは，高いだけのことはあります。
    2．ルインさんはわかいだけのことはあって，おそくまでがんばりますね。
    3．あの人は学者だけあって，何でもよく知っています。
    4．食べられるだけのお金がもらえれば，それでいいです。

The third meaning is "amount" or "extent." "だけ" is often preceded by "これ," "それ," "あれ" or "どれ."

 （例）1．これだけ勉強したのに，まだよくわからないんです。
    2．それだけ食べれば，もういいでしょう。
    3．たくさんありますから，好きなだけ飲んでください。
    4．できるだけ長い間ここにいてください。

III. Usage of the volitional form of verbs

A. Forms

	Dictionary	Volitional
Group 1	見る 食べる 教える	見よう 食べよう 教えよう
Group 2	買う 書く 話す 待つ 泳ぐ 遊ぶ	買おう 書こう 話そう 待とう 泳ごう 遊ぼう
Irregular	来る する	こよう しよう

B. Meanings

1. When used at the end of a sentence or followed by "と思います," it shows the speaker's will or intention.

　　（例）1. 今日は疲れているようだから，かわりに私がやろう。
　　　　　2. ぼくが先生に聞いてみようか。
　　　　　3. 来週調べようと思います。

2. When used at the end of a sentence, it shows an invitation.

　　（例）1. A： そろそろ出よう。
　　　　　　　B： うん。そうしよう。
　　　　　2. A： もう帰ろうか。
　　　　　　　B： そうね。そうしようか。

3. When followed by "とする," it means "be about to do something" or "be about to happen."

　　（例）1. 外へ行こうとした時に電話がかかってきました。

2．お金を出そうとしたら，とつぜんベルがなったんです。

3．日が暮れようとしています。

"A volitional form ＋ とする" can often be used to indicate a speaker's effort.

（例）1．飲もうとしましたが，飲めませんでした。

2．一人で行ってみようとしたんですが，どうしてもだめでした。

3．いくら起こしても，起きようとしないんです。

練　　習

1．用法練習

＜1＞会話の下線のある部分を，下の1～5の言い方にかえて練習しなさい。

ご案内する
　　　　［A…案内した人　B…見学者］
　　　　　　　　　　⋮

A：　一応こんなところですが……。
B：　ああ，きょうはどうもありがとうございました。
A：　いえいえ。
B：　いろいろ見せていただいて，ほんとうに勉強になりました。
A：　そうですか。そう言っていただけると，<u>ご案内した</u>かいがあります。

　　　　　1．ご説明する
　　　　　2．お見せする
　　　　　3．お招きする
　　　　　4．ごいっしょする
　　　　　5．準備する

案内する	あんないする	show around
見学者	けんがくしゃ	observer
一応	いちおう	briefly, roughly
招く	まねく	invite
ごいっしょする		do something together
準備する	じゅんびする	prepare

＜2＞会話の下線のある部分を，下の1～5の言い方にかえて練習しなさい。

言う，気にする
　　　　［A…Bの先輩（男性）　B…学生］
A：　それにしても，この間はたいへんだったな。
B：　ええ，ほんとに。
A：　<u>言わなきゃ</u>よかったね，あんなに<u>気にする</u>んだったら。
B：　そうですね。

1．呼ぶ　　　　　　うるさい
2．やらせる　　　　あがる
3．まかせる　　　　あてにならない
4．頼む　　　　　　気まずい思いをする
5．引き受ける　　　文句を言われる

気にする	きにする	worry
うるさい		noisy
あがる		get nervous
まかせる		leave 〜 to
あてにならない		not reliable
気まずい	きまずい	uncomfortable, uneasy
思い	おもい	feeling
引き受ける	ひきうける	take on, undertake

＜3＞会話の下線のある部分を，下の1〜5の言い方にかえて練習しなさい。

準備する
　　　　［A…学生（男性）　　B…学生（女性）］
　A：　あーあ，きょうの発表，やりたくないなあ。
　B：　何言ってんのよ，今んなって。
　A：　うーん。自信ないんだよなあ。もっと前から準備しとくんだった。

1．やる
2．まとめる
3．調べる
4．考える
5．はじめる

発表	はっぴょう	presentation
自信	じしん	self-confidence
まとめる		put 〜 together
調べる	しらべる	study

2．談話練習

場面練習
　次の会話を練習しなさい。

＜1＞　A：　あっ，先生。
　　　　B：　どこ。
　　　　A：　郵便局の前。
　　　　B：　ちがうよ。そら似じゃない。
　　　　A：　そうかなあ。

　　　　　　　　　　　　　そら似　　　　　　　そらに　　　　　　　　　　close resemblance

＜2＞　A：　京都はまだですか。
　　　　B：　もうすぐですよ。
　　　　A：　そうですか。
　　　　B：　ええ。トンネルを過ぎて，川をひとつ越えれば京都です。

＜3＞　A：　行きましょうか。
　　　　B：　どうぞお先に。
　　　　A：　まだ仕事ですか。
　　　　B：　ええ。もうちょっとがんばります。

＜4＞　A：　このカバン，どこで買ったんですか。
　　　　B：　いいでしょう。でも買ったんじゃないんです。
　　　　A：　あ，いいですね。どなたに。
　　　　B：　それは秘密です。

　　　　　　　　　　　　　秘密　　　　　　　ひみつ　　　　　　　　secret

練　習
　次の会話を練習しなさい。

＜1＞　A：　うわあ。
　　　　B：　どうしたの。
　　　　A：　ゴキブリ。
　　　　B：　どこ。
　　　　A：　そこ。冷蔵庫の前。

B： ほんと。ちょっと待ってて……。だいじょうぶよ。

A： 殺したの。

B： うん。新聞を丸めてね。

<2> A： ゆれなかった。

B： いや。ゆれた。

A： ゆれたと思ったけど。

B： 錯覚じゃない。

A： いや，地震だと思ったんだけど。

B： きっと気のせいだよ。

　　　　　　　　　錯覚　　　　　　さっかく　　　　　　hallucination

<3> A： このドレス，どう。

B： うん，そうね。

A： いい。

B： ううん。

A： よくない。

B： ううん。

A： どっちなの。

B： ううん。

A： どっちでもいいのね，私のことなんか。

<4> A： 私はまいりません。

B： どうしたんですか。

A： こわいんです。

B： 何がです。

A： あの人にお会いするのが。

B： そんなことはありません。

A： いえ，お会いできません。ここにいます。

<5> A： これ，ほんの少しなんですけど。

B： いつもすみません。

A： お口にあいますかどうか……。

B： いえ，ありがとうございます。

<6> A： この絵，すばらしいですね。

B： そうですね。なんとも言えないですね。

A： とくにここの赤がね。

B： そうですね。いきていますね。

3．文法練習

＜ 1 ＞ "Passive sentence" の練習　（Ⅰ-A）

会話の下線のある部分を，下の 1 ～ 5 の言い方にかえて練習しなさい。

持っていく
A： そんなとこに置いといちゃ，持っていかれちゃうよ。
B： そうかな。
A： そうよ。ほんと，のんびりしてんだから。

1．捨てる
2．片付ける
3．踏む
4．よごす
5．見る

持っていく	もっていく	steal, take
のんびりする		take things easy, care-less
捨てる	すてる	throw away
片付ける	かたづける	put away
踏む	ふむ	step on
よごす		make (something) dirty

＜ 2 ＞「だけ」の練習　（Ⅱ）

会話の下線のある部分を，下の 1 ～ 5 の言い方にかえて練習しなさい。

富士山，きれいだ，日本一といわれる
A： 富士山どうでしたか。
B： きれいでしたよ。さすが日本一といわれるだけあって………。
A： そうですか。やっぱりね。

1．展覧会	いい	名画といわれる
2．高山	いい	小京都といわれる
3．天の橋立	きれいだ	日本三景の一つ
4．あの小説	おもしろい	芥川賞をとる
5．北海道	すばらしい	みんなが行きたがる

さすが		as (it is) highly praised
日本一	にっぽんいち	the best (one) in Japan
展覧会	てんらんかい	exhibition
名画	めいが	masterpiece (of painting)
高山	たかやま	(name of a place)
天の橋立	あまのはしだて	(name of a place)
日本三景	にほんさんけい	the three most beautiful scenic spots in Japan
小説	しょうせつ	novel
芥川賞	あくたがわしょう	Akutagawa award

＜３＞「～ようとする」の練習　(Ⅲ-B-3)

会話の下線のある部分を，下の１～５の言い方にかえて練習しなさい。

交通事故を見る，バス停，信号をわたる

A： この間，交通事故を見たんですよ。
B： えっ，どこで。
A： バス停で。ちょうど信号をわたろうとした時。
B： へええ。

1.	大津先生に会う	東京駅	新幹線に乗る
2.	火事を見る	新宿	タクシーをひろう
3.	お金を拾う	駐車場	車を降りる
4.	けがをする	研究室	ガラスを切る
5.	腰を痛める	家	たんすを動かす

交通事故	こうつうじこ	traffic accident
信号	しんごう	traffic lights, signal
わたる		go across
新宿	しんじゅく	(name of a place)
ひろう		pick up
駐車場	ちゅうしゃじょう	parking place
けがをする		get injured
腰	こし	one's back
痛める	いためる	hurt
たんす		chest of drawers

聞 く 練 習

A ドラマ: 浜辺の謎

玲子と健司は新婚旅行で沖縄の石垣島に行き，そこで殺人事件に巻き込まれた。東京に帰ってから，その事件について話している。

浜辺	はまべ	beach
謎	なぞ	mystery
玲子	れいこ	(given name)
健司	けんじ	(given name)
新婚旅行	しんこんりょこう	honeymoon
石垣島	いしがきじま	(name of an island)
殺人	さつじん	murder
事件	じけん	incident
巻き込む	まきこむ	involve

はんにん	犯人	criminal
つかまる	捕まる	be arrested
こまりはてる	困り果てる	be in deep trouble
かいがん	海岸	seashore
ロマンチック		romantic
バック		background
ポーズをとる		pose
こくどう	国道	highway (lit. national road)
はさむ		put (something) between
さとうきびばたけ	さとうきび畑	sugar cane field
シャッター		shutter
レンズ		lens
しょうてん	焦点	focus
うずくまる		squat, crouch
したい	死体	dead body
パトカー		(police) patrol car
けんしかん	検死官	coroner
まよなか	真夜中	midnight
いろあせた	色あせた	faded
ひげをそる		shave

きずあと	傷あと	scar, cut
よこだおし	横倒し	lying down sideways
はなれる	離れる	be apart from
あきびん	空きびん	empty bottle
ころがる		lie down
せいさんかり	青酸カリ	cyanide
けんしゅつする	検出する	detect, find
ふくどく	服毒	taking poison
ぞっとする		feeling terrified
あしあと	足あと	footprint
ひとくみ	一組	one pair
はっけんする	発見する	find, discover
みもと	身元	one's identity
かのうせい	可能性	possibility
じもとの	地元の	local, native
りょうし	漁師	fisherman
ぎょせん	漁船	fishing boat
たんぽにとる	担保に取る	receive ~ as security
じょうほう	情報	information
しゃっきん	借金	debt
いいあらそう	言い争う	quarrel, argue
じきょうする	自供する	confess
けりがつく		be settled
みせかける	見せかける	show ~ as if

浜 辺

* 真相を聞くための単語表は 197 ページにあります。

真相 しんそう actual fact, truth

B 歌「舟唄」をきく

「舟唄」	ふなうた	"Boatman's Song" (title of a song)
にほんしゅ	日本酒	Japanese Sake
あまくち	甘口	sweet (drinks)
からくち	辛口	dry (drinks)
ねこじた	猫舌	tongue too sensitive to heat
いきすぎる	いき過ぎる	go too far, do too much
さかな	肴	snacks served with alcoholic drinks
こる	凝る	elaborate
みそ	味噌	(a kind of seasoning which is made from soybeans)
おさえる	抑える	restrain
よくぼう	欲望	desire
メロディー		melody
えんか	演歌	(a kind of Japanese popular song)
だんじょのなか	男女の仲	intimacy between a man and a woman
よむ	詠む	compose
おもいでばなし	思い出話	story about the good old days
ふける		be absorbed
ふりかえる	振り返る	reflect
きっかけ		starting point
なみだがこぼれる	涙がこぼれる	shed tears, cry
かし	歌詞	lyrics, words of a song
げんみつさ	厳密さ	preciseness
もとめる	求める	seek, demand
しんずい	真髄	essence, spirit
けっきょく	結局	after all
たちかえる	たち返る	be aware of (oneself)
きざな		affected, smug, snobbish, pretentious
みつめなおす	見つめ直す	reflect again
こどくに	孤独に	lonely, lonesome
ふしぎな	不思議な	strange
カラオケ		(taped music for singing)
どなりたてる	怒鳴りたてる	shout (in a loud voice), yell out

「舟　唄」

作詞：阿久　悠

作曲：浜　圭介

1.　お酒はぬるめの　　　燗がいい
　　　肴はあぶった　　　　イカでいい
　　　女は無口な　　　　ひとがいい
　　　灯りはぼんやり　　　灯りゃいい
　　　しみじみ飲めば　　　しみじみと
　　　想い出だけが　　　　行き過ぎる
　　　涙がポロリと　　　　こぼれたら
　　　歌い出すのさ　　　　舟唄を

　　　沖のかもめに深酒させてョ
　　　いとしあの娘とョ　　朝寝する　　ダンチョネ

2.　店には飾りがないがいい
　　　窓から港が　　　　　見えりゃいい
　　　はやりの歌など　　　なくていい
　　　時々霧笛が　　　　　鳴ればいい
　　　ほろほろ飲めば　　　ほろほろと
　　　心がすすり　　　　　泣いている
　　　あの頃あの娘を　　　思ったら
　　　歌い出すのさ　　　　舟唄を

　　　ぽつぽつ飲めば　　　ぽつぽつと
　　　未練が胸に　　　舞い戻る
　　　夜ふけてさびしくなったら
　　　歌い出すのさ　　　舟唄を
　　　ルルル……

（日本音楽著作権協会（出）許諾第 8964016-304 号）

ぬるめ（の）		lukewarm
かん	燗	heating "sake"
さかな	肴	snacks served with alcoholic drinks
あぶった		slightly grilled
イカ		squid, cuttlefish
むくちなひと	無口な人	a man of few words

あかり	灯り	light
ぼんやり		dimly
ともる	灯る	light, be turned on
しみじみ		feel deeply
ゆきすぎる	行き過ぎる	pass through
ポロリと		(one tear drop)
こぼれる		overflow
うたいだす	歌い出す	start to sing
おき	沖	offshore
かもめ	鷗	sea gull
ふかざけする	深酒する	get drunk, drink a lot
いとしい		lovely
はやり		popular
むてき	霧笛	foghorn
ほろほろ		tearfully
すすりなく	すすり泣く	sob
ぽつぽつ		slowly
みれん	未練	regret
まいもどる	舞い戻る	come back
よふけて	夜ふけて	late at night

「A　ドラマ：「浜辺の謎」の真相

しんそう	真相	actual fact, truth
おもいつく	思いつく	come up with (an idea)
ボートごや	ボート小屋	boat cabin
よびよせる	呼び寄せる	call for, send for
まぜる	混ぜる	mix, put in
まえもって	前もって	in advance, beforehand
おもいうかべる	思い浮かべる	think of, remember
かさなる	重なる	overlap
あとずさりする	後ずさりする	step backwards
かさねる	重ねる	place one on the other
とくちょう	特徴	characteristics

も敬遠してしまい、そのために一人で苦しんで亡くなる

ことになってしまった。苦しみを取ってあげるというの

ではなく、共に苦しむという姿勢がどんなに大事なこと

か、なぜ心の苦しみを一緒に背負っていけなかったか、

とその看護婦は反省している。

母もまた、どうしようもない心の不安を話したかった

だろう。しかし、娘の私には否定され、たしなめられ、

がんばらなければと励まされて、それでも日増しに弱っ

ていく自分の力に、まわりへの不安をつのらせてはいな

かっただろうか。

病名をかくすことだけに心をくだいて、母をしっかり

受けとめてやらなかったのではないかというかすかな心

の痛みは、この本を手にとったときから、はっきりとし

たものになった。

この本の母体となった「生と死を考える会」の世話人

代表生田チサトさんは、あとがきで、こうしるしている。

――死に直面した人々の心の深淵に、他者がどれほど近づ

きうるか……もし私たちが本当に自分の無力を実感する

ことができたとすれば、その時からこそ、私たちはその〵

人々の側に「共にいる」という一歩を踏みだせるのであ

る。そして、側に「共にいる」ことからすべてははじま

る――。

（中村明美「私の読んだ本」『暮しの手帖』
III―9　暮しの手帖社　より）

読む練習

私の読んだ本
── 『身近な死の経験に学ぶ』──

平山正実
A・デーケン　編

身近な
死の経験に
学ぶ

春秋社

母の意識が、早くなくなればいい。そうすれば、どんなに母自身も、まわりの者も楽になるだろう。母のベッドのかたわらで一日中そう思って、私はこの四ヶ月をすごした。

肺ガンは、すでに脊柱にまで転移し、下半身の感覚を完全に奪ってしまった。病名を、そして残された命があといくばくもないことを、母に悟られてはならない。なんとしてでもしらをきりとおさねばならない。母の言葉や視線を、右に左にかわしながら、私は、ひたすらお祭りのように明るくふるまわねばならなかった。

「背中の古い傷で骨が変形して、神経を圧迫しているだけ。体力がついたら、すぐにでも手術をしよう。咳もだ

いぶおさまっているし、肺の方は良い方向へむいているし……」

泣きたいのをこらえている時のように、喉の奥がいつでも重たくうずいていた。私はこわかった。死というものに対して、そして母に対していつでも身がまえていた。

私は孤独だった。

母は私よりもっと孤独だったろうと気づいたのは、母がなくなってからである。ある日思いがけず、主治医のカルテの片すみの小さなメモを読んでしまった。

──先生、もう苦しいから、安楽死させて下さい──

亡くなるいく日か前の日付であった。母は、私には一度も弱音を吐くことがなかった。最後まで母親の顔であった。そのことが、どんなに母を孤独にしたことか。

この本の中で、いろいろな立場の人が身近な死の経験から多くの事を学んでいる。ある看護婦は、経過が思わしくなく、悪性の病気を疑いだしたあるガン患者の報告をしている。医療者がそれを否定しつづけたため、患者は、それでは手術の失敗ではないかと言いだした。まわりの者も、真実を告げられない辛さのために、心ならず

単 語 表

学ぶ	まなぶ	learn
～編	～へん	edited by ～
楽になる	らくになる	be at ease
肺ガン	はいガン	lung cancer
脊柱	せきちゅう	backbone, spine
下半身	かはんしん	lower part of the body
奪う	うばう	take away
悟る	さとる	realize
しらをきりとおす		pretend to know nothing at all
かわす		avoid
傷	きず	wound
神経	しんけい	nerve
圧迫する	あっぱくする	press
体力がつく	たいりょくがつく	gain some strength
咳	せき	cough
むく		go toward
孤独な	こどくな	lonely
思いがけず	おもいがけず	unexpectedly
主治医	しゅじい	physician who is in charge of
カルテ		chart, record
安楽死する	あんらくしする	euthanasia, mercy killing
亡くなる	なくなる	die
弱音を吐く	よわねをはく	complain, moan
看護婦	かんごふ	nurse
悪性の	あくせい	bad, malignant
告げる	つげる	tell, announce
心ならずも	こころならず	unwillingly
背負う	せおう	carry
日増しに	ひましに	day by day
弱る	よわる	get weak, get feeble
心をくだく	こころをくだく	willingly consider
世話人	せわにん	organizer
深淵	しんえん	depth
側	そば	side, beside
踏みだす	ふみだす	step out, go forward

第 17 課

賛成する・反対する

○さっき全員でとおっしゃいましたけど，わたしは参
　加したい人だけでやればいいと思いますけど。

○おっしゃることはよくわかるんですが，……。

○ですから，やはり全員がそういう経験をしたほうが
　いいんじゃないかと思いますが。

○でも，……。

○それはそうなんですが，……。

○全員いなきゃ無理なんじゃないでしょうか。

○僕は模擬店を出すという意見に反対です。

○一概に模擬店がくだらないとは言えないんじゃない
　かと思うんですけど。

会　話

教室で

バミロ：　ええ，大学祭実行委員会のほうから，模擬店を出さないかというさそ
　　　　　いがありましたので，きょうはこれについて話し合いたいと思います。
　　　　　このコースとして全員でとりくむというのもおもしろいんじゃないか
　　　　　と思います。ここで話し合った結果をですね，あしたの実行委員会に
　　　　　持っていくことになっているんですが，何か意見ありませんか。どう
　　　　　でしょうか。

シルバ：　はい。

バミロ：　はい，どうぞ。

シルバ：　あの，さっき全員でとおっしゃいましたけど，わたしは参加したい人
　　　　　だけでやればいいと思いますけど。あの，ほかの講演会なんかを聞き
　　　　　たいって人もいると思いますから。

バミロ：　ああ，おっしゃることはよくわかるんですが，この模擬店の目的のひ
　　　　　とつはですね，日本人の学生といっしょに運営するということにある
　　　　　んですね。ですから，やはり全員がそういう経験をしたほうがいいん
　　　　　じゃないかと思いますが。

シルバ：　でも日本人と話すということだけなら，もうみんなやってると思いま
　　　　　す。

バミロ：　それはそうなんですが，ただ，(1)運営するというのは雑談をワイワイや
　　　　　るっていうのとは違うと思うんですね。いろいろ意見の衝突なんかも
　　　　　あると思うし。それがかえって(2)日本人の思考パターンを知ることに
　　　　　なっておもしろいんじゃないかって，まあちょっと大げさですけど，

　　　　僕はそう思いますが。

キ ム　：　あの，わたしは全員で参加するというのは，確かに意味のあることだ
　　　　と思います。それに実際に模擬店をやる手間と時間を考えると，全員
　　　　いなきゃ無理なんじゃないでしょうか。

バミロ：　ええ。確かに参加ということになれば買物とかチケットの印刷とかみ
　　　　んなで分担しなきゃいけなくなるでしょうね。

チュン：　はい。

バミロ：　はい。

チュン：　あの，僕は模擬店を出すという意見に反対です。模擬店って子供っぽ
　　　　いし，何かくだらないって感じがしますから。

キ ム　：　そうでしょうか。一概に模擬店がくだらないとは言えないんじゃない
　　　　　　　　　　(3)
　　　　かと思うんですけど。同じ世代の学生といろいろ話せるし，日本の大
　　　　学祭がどんなものか知ることもできるし，だいいちお金がもうかる
　　　　じゃないですか。

バミロ：　さあ，もうかるところまでいくかどうかわかりませんが，じゃ，ま，
　　　　このへんで多数決で決めたいと思いますけど。よろしいですか。

会話ノート

1. Vocabulary list

賛成する	さんせいする	agree
反対する	はんたいする	oppose
大学祭	だいがくさい	university festival
実行委員会	じっこういいんかい	committee
模擬店	もぎてん	temporary stall
さそい		request
とりくむ		work on
運営する	うんえいする	run, manage
経験	けいけん	experience
雑談をワイワイ（やる）	ざつだんをワイワイ（やる）	chattering noisily
衝突	しょうとつ	conflict
思考パターン	しこうパターン	way of thinking
大げさ	おおげさ	exaggeration
意味のある	いみのある	meaningful
手間	てま	work
印刷	いんさつ	printing
分担する	ぶんたんする	share (the work)
子供っぽい	こどもっぽい	childish
くだらない		meaningless
感じがする	かんじがする	have a feeling
一概に〜ない	いちがいに〜ない	not 〜 in a word
世代	せだい	generation
だいいち		first of all
（お金が）もうかる		make a profit
多数決	たすうけつ	decision by majority

2. Expressions

(1)　ただ　（however, but, only）

"ただ" is a conjunction derived from the written word "ただし", and is used when the speaker wants to tell that there are some exceptions about the fact which he/she has just mentioned, or to add some conditions to the sentence previously uttered.

（例）1．来週は毎日ひまです。ただ，水曜日の夜は用事がありますが……。

　　　2．日本料理は何でも好きです。ただ，なっとうだけは食べられません。

(2)　かえって　（on the contrary, against one's expectation）

This is used when the following statement is contrary to one's logical expectation about the conditional sentence preceeding it.　This is an adverb.

（例）1．よく勉強したら，かえってわからなくなりました。

　　　2．タクシーに乗ったら，かえって遅くなってしまいました。

　　　3．薬を飲んだら，かえって調子が悪くなってしまいました。

(3)　一概に　（in a word, unconditionally, generally）

This is usually used with a negative predicate.　It means one cannot sum up an idea simply.

（例）1．お酒が悪いとは，一概に決められないと思います。

　　　2．いい大学を出ればいい会社に入れるとは，一概に言えないんじゃないですか。

3．Aspects of the discourse

「こ・そ・あ」と「こ・そ・あ」の「そ」について

「こ・そ・あ」

（例）1．A：　それ何。

　　　　　B：　どれ。

　　　　　A：　その左の。

　　　　　B：　あ，これ。

　　　　　A：　うん。

　　　　　B：　クリスマス・カード。

　　　　　A：　へえ。きれいね。

　　　2．A：　「金閣寺」（きんかくじ）っていう本，読んだけど，おもしろかったわ。

　　　　　B：　へえ。その本，だれが書いたの。

　　　　　A：　知らないの。三島由紀夫（みしまゆきお）。

　　　　　B：　その人有名な人。

　　　　　A：　ええ，有名よ。

The usages of "こ" "そ" and "あ" are given below.

Usage I

When the speaker wants to refer to things, persons, places and directions which can be seen by both the speaker and the listener, as in （例）1 above.

Usage II

When the speaker wants to refer to what is shown in the context, as in （例）2 above.

Table of "こ" "そ" and "あ" series

	What is being talked about		Close to speaker	Close to listener	Far from S. and L.	Being questioned
Non-Modifier	Demonstratives		これ	それ	あれ	どれ
	Location		ここ	そこ	あそこ	どこ
	Directions	formal	こちら	そちら	あちら	どちら
		informal	こっち	そっち	あっち	どっち
Modifier	Demonstratives		この	その	あの	どの
	Kinds		こんな	そんな	あんな	どんな
	Manners		こう	そう	ああ	どう

（例）1．A： 山田さん，どこにいる。
　　　　　B： 今あっちへ行ったよ。
　　　2．A： 「金閣寺」という本，知っている。
　　　　　B： そんな本，知らないわ。

「そ」

Usage I

A．"そ" is used to refer to what is close to the listener.

（例）A： それ，取ってください。
　　　B： これですか。
　　　A： ええ，そうです。

B．"そ" is also used to refer to what is not so near and not far from both the speaker and the listener.

（例）［タクシーで］
    A：　そのかどで止めてください。
    B：　ええと，そのかどと言いますと……。

［Note］　Generally speaking, when the speaker feels that he/she is not close psychologically or locationally to the listener, "そ" of the Usage I-A is used.　On the other hand, when the speaker feels that he/she is close psychologically or locationally to the listener, "そ" of the Usage I-B is used.　See the following figure.

Usage I-A   Usage I-B

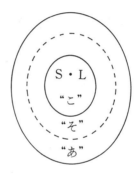

[S＝Speaker,
L＝Listener]

Usage II

A．"そ" is used by the speaker 1 to refer to someone or something mentioned by the speaker 2 about which the speaker 1 doesn't have any knowledge.

（例）A：　「金閣寺」って本，おもしろいよ。
    B：　その本，どんな本。
    A：　知らないの。有名な小説よ。

B．"そ" is used by the speaker 1 to refer to someone or something which he/she mentioned about which the speaker 2 doesn't have any knowledge.

（例）A：　「金閣寺」っていう本，おもしろいよ。
    B：　「金閣……」。
    A：　あっ，その本，知らない。
    B：　ええ。

C. "そ" is used to refer to someone or something shown in a statement which either the speaker 1 or the speaker 2 made, and about which neither of them has any knowledge.

（例）A： 「金閣寺」っていう本，おもしろいらしいね。

　　　B： そんな本，知らないな。

　　　A： ぼく読んでないけど，その本，有名らしいよ。

文　　法

I. Noun-modifying clause（2）

There are two types of noun-modifying clauses.
The first type has already been introduced in Lesson 9 in "A Course in Modern Japanese Vol. III." The second type is explained here.
The second type is typified by the following sentence.

<u>だれかがピアノをひいている音</u>が聞こえた。
（I heard the sound of the piano being played by someone.）

The underlined part is composed of two parts: a modifying clause and the modified noun.

Modifying clause:　だれかがピアノをひいている
Modified noun:　音

The modifying clause above can be considered as an explanation of what kind of sound it is. But there is no grammatical relationship between the sentence "だれかがピアノをひいている" and the noun "音," because the noun is not an element of the sentence.
The way the clause modifies a noun and the way the clause is semantically related to the noun is as follows.

1. The following are some examples of a modified noun, when the clause gives detailed information concerning the noun.
考え（かんがえ: idea）, ニュース, 話, 心配（しんぱい: worry）, 可能性（かのうせい: probability）, 仕事（しごと: work）

（例）1. 自分だけを大事にしようとする考えは，よくないでしょう。
　　　2. 銀行でお金を取られたニュースをテレビで見ました。
　　　3. 外国人がガイジンと言われている話はよく聞きます。
　　　4. これで，試験をうける心配がなくなりました。
　　　5. 台風がこの町を通る可能性はほとんどなくなりました。
　　　6. 中村さんは今，お金を貸す仕事をしています。

"という" usually precedes a modified noun, when it is related to an idea, news or a message.

(例) 1. 自分だけを大事にするという考えは，よくないでしょう。
2. 銀行でお金を取られたというニュースをテレビで見ました。
3. 外国人がガイジンと言われているという話はよく聞きます。

2. The following are some examples of a modified noun, when the clause shows sensory perception which the noun indicates.
音（おと: sound），におい（smell），味（あじ: taste），感じ（かんじ: feeling）
絵（え: picture），写真（しゃしん: photo），色（いろ: color）

(例) 1. 自動車の通る音が聞こえました。
2. 魚のやけるにおいがします。
3. もう長い間日本にいるような感じがします。

3. The following are some examples of a modified noun, when the clause shows a process or a cause, and the result is indicated by the noun.
結果（けっか: result, information），おつり（change），残り（のこり: rest, remainder, leftover）

(例) 1. 辞書や本で調べた結果（information）をノートに書いておきました。
2. がんばって勉強した結果（result）を見ていてください。
3. たばこを買ったおつりがあります。
4. 私が食べた残りを犬にやりました。

II. Conjunctions: そして，それから，それに and それで

A. "そして" is used when the sentence following "そして" is juxtaposed with the sentence preceding it.

(例) 1. 公園に行きました。そして友達に会いました。
2. A： 電話ありましたか。
B： ええ，中村さんから電話がありました。そしてその後で加藤さんがいらっしゃいました。

B. "それから" shows that an action described by the preceding sentence occurs earlier than the following one.

（例）１．３時ごろ図書館に行きました。それから５時ごろ食堂でごはんを食べました。
　　　２．Ａ：　先月の 23 日夜８時ごろ何をしていましたか。
　　　　　Ｂ：　ええと，23 日ですか。あの日は，仕事を終えて，家へ帰ったのが，えええと，７時ごろでした。それからすぐふろにはいりました。ふろから出て，いつものようにビールを飲んで……ああ，友達から電話がありました。それが８時ごろだったと思います。10 分ほど話して，それから外に出ました。

"それから" is also used to recall some things one by one.

（例）１．Ａ：　学生の時はどんなことを勉強しましたか。
　　　　　Ｂ：　経済学と数学，ええと，それからドイツ語なんかです。
　　　２．Ａ：　今日はだれがいらっしゃいますか。
　　　　　Ｂ：　村山さん，大野さん，和田さん，それから平田さんです。

Ｃ．"それに" is used to add one thing to others which have been mentioned previously.

（例）１．Ａ：　すきやきには何を入れますか。
　　　　　Ｂ：　牛肉，ねぎ，こんにゃく，それにとうふなどですね。
　　　２．Ａ：　やっぱり会社をやめるんですか。
　　　　　Ｂ：　ええ。あまり今の仕事がおもしろくないし，それにまわりの人ともうまくいっていないし……

Ｄ．"それで" means "therefore" and shows the causal relationship between the preceding sentence and the following one.

（例）１．今使っている辞書は小さすぎて役に立ちません。それで新しいのを買いました。
　　　２．土曜日に工場見学に行くことになりました。それでテストは来週になります。

"それで" is also used to urge a person with whom one is talking to continue his/her conversation. It is pronounced with rising intonation.

（例）１．Ａ：　きのうルインさんがきてね，一緒に栄に行ったんだ。
　　　　　Ｂ：　へえ，それで。
　　　　　Ａ：　うん，喫茶店で５時間も話をしたよ。
　　　２．Ａ：　あした研究室に行きたいんですが。

　　　　Ｂ： ええ，それで。
　　　　Ａ： それで授業を休んでもいいでしょうか。

Ⅲ．"-たり" and "し"

Ａ．The "-たり form" is made by adding "-り" to the perfective form of a verb.

Dictionary form	Perfective form	-たり form
見る	見た	見たり
買う	買った	買ったり
来る	来た	来たり
する	した	したり
高い	高かった	高かったり
いい	よかった	よかったり
静かだ	静かだった	静かだったり
雨だ	雨だった	雨だったり

The sentence pattern including "-たり" is as follows.
　　　　"Clause 1 ＋ -たり，Clause 2 ＋ -たり"
The "-たり form" is used to show representative actions or state.

　　（例）１．新聞を読んだり，テレビを見たりしました。
　　　　　２．秋はすずしかったり，寒かったりします。

It is also used to express two opposite actions or conditions.

　　（例）１．行ったり，来たりしました。
　　　　　２．食べたり，食べなかったりするんです。
　　　　　３．高かったり，安かったりします。

And it is often used to show an example of one action among many. In this case
"Clause ＋ -たり＋する" is used only once.

　　（例）１．Ａ： 何かいいこと，あったんでしょう。
　　　　　　　Ｂ： もしかして，だれかいい人，見つけたりして。
　　　　　２．Ａ： 来週は何もないですね。
　　　　　　　Ｂ： ひょっとして，テストがあったりするかもしれません。

B．"し" can be used after non-polite forms.　There are two usages.

1．It is used to count some actions or conditions.

　　（例）1．A： もう寝ますか。
　　　　　　 B： そうですね。さらはあらったし，せんたくは終わったし，ガスはきっ
　　　　　　　　 たし，ドアのかぎもかけたし，タバコの火もだいじょうぶだし……。
　　　　　　　　 寝ましょうか。
　　　　　 2．A： こんばんお客さん来るけど，だいじょうぶ。
　　　　　　 B： ビールは冷蔵庫に冷やしてあるし，さしみも買ったし，ごはんは後で
　　　　　　　　 スイッチを入れればいいし，部屋は朝掃除したし，だいじょうぶよ。

2．It is used to show some related reasons for the main statement.

　　（例）1．クイズもあるし，作文もあるし，学生は大変です。
　　　　　 2．授業もあるし，仕事もあるし，教師も大変です。

練　　習

1．用法練習

＜1＞会話の下線のある部分を，下の1～5の言い方にかえて練習しなさい。

　　おっしゃることはよくわかるんですが
　　　　［A…先生　　B…学生］
　　A： やっぱり外国語を身につけたかったら，その国へ行かなきゃあ……。
　　B： おっしゃることはよくわかるんですが，ある程度は自分の国でもできるんじゃない
　　　　かと思うんですが……。
　　A： そりゃ，きみねえ……。

　　　　　1．そうでしょうか
　　　　　2．それはそうだと思うんですが
　　　　　3．そのとおりだとは思うんですが
　　　　　4．そう一概には……
　　　　　5．そうとばかりも言えないんじゃあ……

やっぱり		after all
外国語	がいこくご	foreign language
身につける	みにつける	learn, acquire
気	き	will, intention
一概に（言えない）	いちがいに（いえない）	(cannot be said) in a word

＜2＞会話の下線のある部分を，下の1～5の言い方にかえて練習しなさい。

　　そうですね
　　　　［A…Bの先輩（男性）　　B…学生　　　食堂で］
　　A： もったいないなあ，この割箸。
　　B： そうですね。資源には限りがありますからね。
　　A： うん。ここだけでも1日に何百本って捨ててるんだよ。
　　B： それにほとんど輸入してるんですってね。
　　A： うん。

　　　　　1．まったくそのとおりですよ。

2．ほんとうにそうですね。

3．ええ，わたしもそう思います。

4．たしかにねえ。

5．わたしも前からそう思ってました。

もったいない		waste
割箸	わりばし	chopsticks made of wood
		（usually used only once and thrown away）
資源	しげん	resources
限り	かぎり	limit
捨てる	すてる	throw away
まったく		indeed

＜3＞会話の下線のある部分を，下の1～5の言い方にかえて練習しなさい。

留守番電話

　　　［A…学生（男性）　B…学生（女性）］

A：　留守番電話って便利だね。

B：　留守番電話。

A：　先週つけたんだけど，けっこう役に立つよ。

B：　そう。でも，かける方になったことある。

A：　ううん。

B：　あいづちなしでしゃべるのって，むずかしいのよ。

A：　ふうん。

1．そう

2．あら，あんなもの

3．留守番電話なんて

4．ほんとうにそう思う

5．そうかな

留守番電話	るすばんでんわ	answering machine
（留守番	るすばん	house-sitting）
つける		install
けっこう		fairly
（電話を）かける	（でんわを）かける	make（a call）
しゃべる		chat

２．談話練習

場面練習
　次の会話を練習しなさい。

＜１＞A：　はさみ，どこに行ったかなあ。
　　　　B：　そこにあるじゃない。
　　　　A：　どこ。
　　　　B：　ここんとこ。（自分のひじをさしながら）
　　　　A：　あっ，ここか。

　　　　　　　　　　はさみ　　　　　　　　　　　　　　scissors

＜２＞A：　はさみ，どこかなあ。
　　　　B：　さっき，そのへんで見たよ。
　　　　A：　そのへんって。
　　　　B：　ええと。あっ，あそこの机のとこで。

＜３＞A：　あのね，教科書をぜんぜん使わないで日本語の授業をする先生に習ったことあ
　　　　　　るよ。
　　　　B：　へえ。その先生，どんな授業。

＜４＞A：　教科書をぜんぜん使わないで日本語の授業をする先生がいてね。
　　　　B：　へえ。習ったことあるの。
　　　　A：　その先生に。
　　　　B：　うん。
　　　　A：　うん。

＜５＞A：　教科書をぜんぜん使わないで日本語の授業をする先生がいるんだって。
　　　　B：　へえ。そんな先生，いるの。
　　　　A：　うん。いるらしいよ。

練　習
　次の会話を練習しなさい。

＜１＞　１）　（AはBの背中を搔いている）
　　　　　　A：　ここ。
　　　　　　B：　ううん。そこじゃない。もう少し左。

A：　ここ。
B：　もうちょっと左。
A：　ここか。
B：　そうそう。ああ，気持いい。

掻く　　　　　かく　　　　　scratch

2）　（電話で）
A：　もしもし，山田だけど。
B：　おっ，山田。
A：　そっちに池田いる。
B：　ううん。こっちにはいないよ。図書館じゃないかなあ。
A：　あ，そう。どうも。

＜2＞　1）A：　おでかけですか。
B：　ええ。ちょっとそこまで。
A：　あ，そうですか。お気をつけて。
B：　どうも。

2）A：　日本には，くだものの木が少ないね。
B：　うん。インドネシアじゃ，そのへんにたくさんあったけどね。
A：　そうだったよね。

＜3＞　1）A：　国では，山田先生という先生に日本語を習いました。
B：　あ，そうですか。それで，その先生に何年ぐらい日本語を……。
A：　3年です。

2）A：　大学の時に，日本人の友達ができて……。
B：　あ，じゃ，そのころから日本語に興味を。
A：　ええ，そうです。

＜4＞　1）A：　国では，山田先生という先生に日本語を習いました。
B：　あ，そうですか。それで，何年ぐらい日本語を……。
A：　その先生には，3年です。

2）A：　大学の時に，日本人の友達ができて……。
B：　ええ。
A：　そのころから日本語に興味を……。
B：　あ，そうですか。

　　＜5＞　1）A：　ねえ。ねえ。山田さん，絵買ったらしいわよ。
　　　　　　　　B：　へえ。
　　　　　　　　A：　見たことないんだけど，とても高い絵だって。
　　　　　　　　B：　へえ。それ，どんな絵だろうね。

　　　　　　2）A：　お金持で，ハンサムで，頭がよくて……。
　　　　　　　　　　そんな人いないかなあ。
　　　　　　　　B：　そんな人，いるわけないよ。いても……。
　　　　　　　　A：　いても，何よ。

3．文法練習

< 1 >"Noun modifying clause ⑵" の練習 （I）

例にならってＡ，Ｂの語句を適当に使って１～５の文を作りなさい。

例：

円が１ドル120円になります。

	A		B
	ニュース	を	聞きました。
	可能性	が	あります。
	話	に	驚いています。
	心配	は	ありません。

1）円が１ドル120円になるというニュースを聞きました。

2）円が１ドル120円になる　　　可能性があります。

3）円が１ドル120円になるという話に驚いています。

4）円が１ドル120円になる　　　心配はありません。

1．東海地震がおきます。

2．大学内では禁煙になります。

3．会館にいられるのは３ヶ月だけになります。

4．大学が新しいコンピューターを入れます。

5．週休２日制が普及します。

可能性	かのうせい	possibility
驚く	おどろく	be surprised
心配	しんぱい	worry
東海	とうかい	（name of an area）
地震	じしん	earthquake
おきる		happen, occur
～内	～ない	inside
禁煙	きんえん	no smoking
週休二日	しゅうきゅうふつか	two days off a week
～制	～せい	～system
普及する	ふきゅうする	spread, diffuse

＜２＞「し」の練習　（Ⅲ-B）
　　会話の下線のある部分を，下の１〜５の言い方にかえて練習しなさい。

　いい経験になる
　　Ａ：　ねえ，どうした，この間の話。
　　Ｂ：　まだまよってるんです。
　　Ａ：　とにかくやってみたら。いい経験になるし。
　　Ｂ：　はい，でも……。

　　　　１．僕も手伝う
　　　　２．時間もある
　　　　３．将来役に立つかもしれない
　　　　４．専門に関係があることだ
　　　　５．案外おもしろいかもしれない

　　　　　将来　　　　　　　　しょうらい　　　　　future
　　　　　案外　　　　　　　　あんがい　　　　　　unexpectedly

聞 く 練 習

A　ラジオ講座：　高齢化社会

講座	こうざ	lecture
高齢化	こうれいか	aging

へいきんじゅみょう	平均寿命	average longevity of human life
じんるい	人類	mankind
ひってきする	匹敵する	be equal to
きゅうげきに	急激に	rapidly
いりょう	医療	medical treatment
にゅうようじ	乳幼児	babies and infants
ろうれいしゃ	老齢者	the aged
しぼうりつ	死亡率	death rate
げきげんする	激減する	decrease rapidly
しゅっせいりつ	出生率	birth rate
きゅうピッチで	急ピッチで	rapidly, at a quick pace
ろうねん	老年	old age
こくれん	国連	the United Nations
ていぎ	定義（する）	definition
よそく	予測（する）	estimate
ひりつ	比率	ratio
たっする	達する	reach
ざっと		approximately
のぼりつめる		reach the top, go up to (the top)
じょじょに	徐々に	gradually
ぶってき	物的	physical, material
たいおうさく	対応策	＝対策（たいさく）countermeasure
こころがまえ	心構え	one's mental preparation
それなりに		in its own way, as it is
かたちづくる	形づくる	form
よほど		to a considerable degree
たいおうする	対応する	deal with, cope with
ふようじんこう	扶養人口	support population
ひふようじんこう	被扶養人口	dependent population
せいさんせい	生産性	productivity

やしなう	養う	support, feed
じゃくねんそう	若年層	the younger generation
ふまん	不満	discontent
せだいかんたいりつ	世代間対立	antagonism between generations
さっきゅうに	早急に	urgently
ていねん	定年	retirement age
えんちょう	延長	extension
ともすれば〜しがちである		be apt to (do) 〜
いんたいしゃ	引退者	retired person
〜とみなす		regard as 〜
あくまで		persistently
さんかしゃ	参加者	participant
かいしゃくする	解釈する	interpret
しせつ	施設	facilities
ろうじんホーム	老人ホーム	old folks' home
ケア		care
じゅうしする	重視する	attach great importance to
いきがい	生きがい	reason for leading a life
ちりょく	知力	intelligence
げんたい	減退	decline
しょうがい	生涯	lifetime
〜をつうじて	〜を通じて	throughout 〜
わりあい	割り合い	ratio, proportion
とりまぜる		mix
きちょうな	貴重な	valuable
しげん	資源	resources

日本の3つの人口分布図

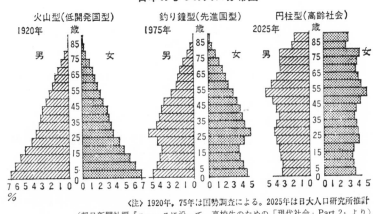

〈注〉1920年，75年は国勢調査による。2025年は日大人口研究所推計
（朝日新聞社編『ニュースに沿って　高校生のための「現代社会」Part 2』より）

C 好きなタイプ

女性三人が，好きな男性のタイプについて話している。

タイプ		type（of a person）
ぐずぐずする		be slow, hesitate
なんじゃくな	軟弱な	weak, indecisive
やつ	奴	fellow, guy
はっきりする		determined, aggressive
いやみ（な）	嫌味（な）	disagreeable
やたら		senselessly, recklessly
けち		stingy
デート		date
バーンと		（onomatopoeia that shows sudden appearance of something large）
はしばし		here and there
さいてい	最低	the worst
ピッピッピッと		（onomatopoeia that shows a beep-beep sound. E.g.—heard when the buttons of a computer game machine are pressed）
こいびと	恋人	one's love, sweetheart
ゆうめいじん	有名人	well-known people
ぴったり		（suit）perfectly
みたりょうすけ	見田良介	（full name of a person）
すすむ	進む	go on
もちにしき	餅錦	（full name of a "sumoo" wrestler）
がめん	画面	screen
まゆみ		（given name）
きんにく	筋肉	muscle
もりもり（した）		big（muscles）
がりがり		thin, skin and bones
ゆうこ		（given name）
がいけん	外見	appearance
うけいれる	受入れる	accept
げんじつ	現実	reality
あう	合う	suit, match

ルックス		looks
だいいちいんしょう	第一印象	first impression
せいかく	性格	personality, character
インスピレーション		inspiration
わく	湧く	have, come
ちょっかん	直感	intuition
いっしょう	一生	whole life
つきあう	付き合う	go with, keep company with
こえる	越える	go beyond
むこう	向こう	he (lit. the other side)
いまいち～ない		not much ～
のりきになる	乗り気になる	be positive, have an interest in
あきる	飽きる	get tired of, be fed up with
ほっとく		＝ほおっておく leave
とっとと		quickly
しつこく		persistently
つきまとう	付きまとう	follow (one) around
そくばくする	束縛する	restrain
かまう		look after, take care
ぐたいてき（な）	具体的（な）	concrete
いっぱんろん	一般論	general theory

読む練習

新聞マンガ

新聞マンガというのは、きわめて不思議な位置にある。

どの新聞を開いてみても、必ず社会面に四コマのマンガが掲載されている。新聞を開くとまずマンガから読みはじめるという人も少なくない。

しかし、この新聞の四コママンガは、マンガ雑誌に連載され、出版されてはベストセラーになるマンガとは本質的に違う。新聞マンガの特徴とは、何だろうか。まず日常性を基調にしているということだと思う人々も多いが、この日常性がほかのマンガと新聞マンガを分けるものでもない。雑誌マンガでも日常性というところから読者をとらえているものもあるからだ。

それでは、何が新聞マンガの特質なのか。ははあ、とある人々はわけ知り顔に言うだろう。やはり、新聞に掲〵

載されるものだから、その時々の事件や風俗を反映するということ、つまり、その時事性にあるのでしょう、と。

けれども、時事風刺なら政治マンガなどの一コママンガのほうがはるかに鋭く本質をえぐりだすものだし、四コママンガのほうにその仕事が期待されているとも思えない。

一体新聞の四コママンガの本質とはどこにあるのか。ごく簡単に言ってしまうなら、毎日同じ場所に存在する、というところにあるといっていい。かつて朝日新聞の連載マンガだった「サザエさん」は、時々作者の病気で休載が続くことがあった。その時はなんともいえず紙面がアンバランスな気がしたものだった。

ところで、鶴見俊輔はこの長谷川町子の「サザエさん」について、非常に適切な指摘をしている。「サザエさん」というマンガは、戦後三十年間「サザエさん」を見てきた一千五百万人から二千万人くらいの日本人の思想を語っているというのである。そして、その思想というのは、

①軍国主義への嫌悪

（227ページへ続く）

族秩序というものの崩壊と「会社」というかたちでバラ
バラの「個人」が組織化されてゆくという日本社会の姿
なのではないだろうか。「家業」という言葉は「家」が生
産を担う場であった時代の名ごりを示すものだった。し
かし、家業から社業（会社の仕事）へと完全に移行した
総サラリーマン化時代のなかで「家」は「サザエさん」
と共に終わったのかもしれない。

（桜井哲夫　『無意識』としての新聞マンガ　『新聞をどう読むか』
講談社現代新書　より）

②立身出世や競争を滑稽なものとみて、日常の暮しに満足する気持ち

③人はすべて法の前に平等という思想であると指摘している。

この鶴見の指摘は、新聞の四コママンガというものの本質をよくついている。毎日あるべきところにあって、ないと居心地が悪いという四コママンガとは、普通の暮しをしている人々の「無意識」を反映しているものだというのである。

そこでは「家族」が常に共通のテーマとして登場しており、底に流れる感情にそれほど大きな変化はみられない。同じ屋根の下で暮らしているもの同士のいたわり合い、隣近所の人々とのつき合いというテーマに大きな変化はなかったと考えてもいいのだろう。

しかし、「サザエさん」に代わって「フジ三太郎」が一九七九年一月から新しく朝刊のマンガになる頃には、日本社会は大きく変わり始めていたのだといっていい。経済的な変動に比べるなら基層意識のレベルの変動は必ずワンテンポ遅れるものだ。この点で七十年代後半以降の

四コママンガのテーマの変動には注目しておいてもいいだろう。あえてごく簡単にこの変動を語ってしまうなら、四コママンガのテーマが「家族」から「会社」へと重心を移動したということである。「フジ三太郎」が話題にするのは、女性部長の出現などといった会社の話にからむことが多い。あるいは、家庭が出てくるときにも、ワイヤレスの新型電話機が丸くなっていて、三太郎の奥さんが三太郎に取り次ぐとき、電話機をころがして渡すといった話であって、「サザエさん」の牧歌的な世界とはおよそ異質なものである。

現在の新聞マンガを人々の基層意識の何らかの表現だとみなすのなら、そこにあらわれているのは、旧来の家

フジ三太郎
（サトウサンペイ『フジ三太郎 名場面』8，朝日新聞社 より）

単 語 表

四コママンガ	よんコママンガ	comic strip
掲載する	けいさいする	put in (a newspaper or magazine)
連載する	れんさいする	put in (a newspaper or magazine) serially
日常性	にちじょうせい	ordinariness of daily life
基調	きちょう	base, basis
わけ知り顔に	わけしりがおに	as if one knows everything
反映する	はんえいする	reflect
風刺	ふうし	satire
鋭い	するどい	sharp
えぐりだす		expose
紙面	しめん	page of a newspaper
鶴見俊輔	つるみしゅんすけ	(full name of a person)
長谷川町子	はせがわまちこ	(full name of a person)
指摘	してき	pointing out
戦後	せんご	after the (second world) war
語る	かたる	tell
軍国主義	ぐんこくしゅぎ	militarism
嫌悪	けんお	hatred, dislike
立身出世	りっしんしゅっせ	success in life
滑稽な	こっけいな	funny, ridiculous
平等	びょうどう	equality
居心地が悪い	いごこちがわるい	uncomfortable
無意識	むいしき	unconsciousness
登場する	とうじょうする	appear
底に流れる	そこにながれる	lie behind
代わる	かわる	replace, take (one's) place
朝刊	ちょうかん	morning paper
基層意識	きそういしき	foundamental awareness
重心	じゅうしん	main point
牧歌的な	ぼっかてきな	pastoral
秩序	ちつじょ	order
旧来の	きゅうらいの	conventional
崩壊	ほうかい	collapse
担う	になう	have, manage
名ごり	なごり	remains, traces

第 18 課

注 釈 す る

○これはよく言われていることですが,……。

○確かなことは言えませんが,……。

会　　話

研究会でレポーターとして発表する

司会　：　では次に，チュンさんに週休二日制について報告していただきます。
チュンさんどうぞ。

チュン：　はい。

ええ，これはよく言われていることですが，日本人は働きすぎだという批判があります。現状はどうかということですが，ええ，労働省の統計資料を見ながら説明させていただきます。お手元の資料 3 ページの図 1 をご覧ください。

これは，日本の企業が週休二日制をどのくらい取り入れているかをあらわしたグラフです。実線は企業の規模を従業員数によって分けたもので，一番上のは従業員が 1000 人以上いる大企業です。で，二番目は従業員数 100 人から 999 人の中企業，一番下が 33 人から 99 人の中小，失礼しました，小企業です。そして破線は全体の平均をあらわしています。で，これでみますと，1971 年から 74 年にかけて，週休二日制を採用した企業が急激にふえているわけですが，その後しばらく，ええ，ふえてはいますが，あまり急激なふえ方ではなくなり，だいたい，まあ，横ばい状態が続いているのがおわかりいただけると思います。

それで現在どうなっているかといいますと，これは 1985 年の数字ですが，週休 2 日制は大企業では 92％と，ほぼ全般的に普及しているのに対して，100 人以下の小企業では 41％，平均でも半数に満たないというのが，ま，現実のようです。

で，確かなことは言えませんが，日本で完全な週休二日制が実現する

　　　には，まだかなり時間がかかるんじゃないかと思います。以上です。

司会　：　はい。ありがとうございました。

　　　では，ご質問がありましたら，どうぞ。

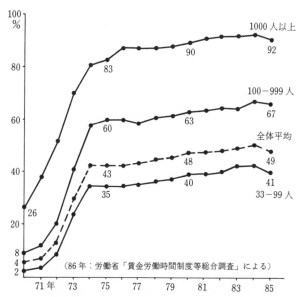

図1　企業規模別にみた週休2日制の採用数の割合

（『情報デスク'88』講談社より）

会話ノート

1. Vocabulary list

注釈する	ちゅうしゃくする	make an introductory remark
週休二日制	しゅうきゅうふつかせい	the five-day-week system
批判	ひはん	criticism
現状	げんじょう	present condition
労働省	ろうどうしょう	The Ministry of Labor
統計	とうけい	statistics
手元	てもと	at hand
図	ず	figure
企業	きぎょう	enterprise
グラフ		chart
実線	じっせん	solid line
規模	きぼ	size
従業員	じゅうぎょういん	employee
破線	はせん	dotted line
採用する	さいようする	adapt
急激に	きゅうげきに	rapidly
横ばい	よこばい	leveling off
全般的に	ぜんぱんてきに	generally
普及する	ふきゅうする	spread
～に対し	～にたいし	while ～
半数	はんすう	half of the total number
～に満たない	～にみたない	less than ～
現実	げんじつ	reality
実現する	じつげんする	realize

2. Expressions

(1) ～によって （according to, by）

There are various interpretations of "～によって". It plays the role of a particle which shows "way" or "means" in the same way as "で" in the context of the dialog.

（例）１．クラスは学生の希望によって決めます。

　　　２．本の大きさで，本棚のどこに置くかを決めています。

(2)　失礼しました　　(Excuse me., Sorry.)

When the speaker realizes that the word or an expression is not proper for the situation or that his/her pronunciation might be difficult to catch, he/she changes it or says it again after saying "失礼しました" or "失礼".

(3)　～にかけて　　(through ～)

This is usually used in the form of "AからBにかけて," and shows the limit or range of time or space. Compared with "AからBまで," the time or space doesn't sound quite so definite.

（例）１．今日3時から4時にかけて強い風が吹くでしょう。

　　　２．本州では6月から7月にかけてが梅雨の季節です。

　　　３．あすは，大阪から京都あたりにかけて大雨が降るでしょう。

(4)　～(の)に対して　　(while)

This is used to show the contrast of two things or matters.　The structure is usually as follows: "Sentence 1 に対して Sentence 2."

（例）１．北のほうでは毎日雪が降るのに対して，南のほうでは雨もあまり降りません。

　　　２．輸入が増えているのに対して，輸出はむしろ減ってきているようです。

3.　Aspects of the discourse

「こ・そ・あ」の「こ」と「あ」について

「こ」

"こ" and "あ" have the similar usages as "そ" mentioned in Lesson 17.

"こ" of Usage I-A in L. 17 is used to refer to what is close to the speaker.

（例）A：　それ，取ってください。

　　　B：　これですか。

　　　A：　はい。

"こ" of Usage I-B in L. 17 is also used to refer to what is close to both the speaker and the listener.（See the figure of the Usage I-B, Lesson 17.）

> （例）A： ここにおこうか。
> B： ここ。
> A： うん。
> B： あっちのほうがいいんじゃない。
> A： そう。

"こ" of Usage II-A in L. 17 is used to refer to what the speaker said or will say.

> （例）A： 僕の意見はこうです。理論と現実は違うんじゃないかと。
> B： なるほど。

"こ" of Usage II-B in L. 17 is used to refer to someone or something shown in a statement which either the speaker 1 or the speaker 2 made, and when it refers to someone or something which has a strong relation to himself/herself or both of them.

> （例）A： 旅行の計画どうする。
> B： そうね。これはみんなで考えよう。

「あ」

"あ" of Usage I-B in L. 17 is used to refer to what is far from both the speaker and the listener.（See the figure of the Usage I-B, Lesson 17.）

> （例）A： ここで写真とろうか。
> B： ここ。
> A： うん。
> B： でも，あっちのほうがもっといいんじゃない。
> A： そう。

"あ" of Usage II-A in L. 17 is used to refer to someone or something shown in a statement about which both the speaker and the listener know.

> （例）A： おおい。あれ持ってきて。
> B： はあい。

"あ" of Usage II-B in L. 17 is also used to refer to someone or something about which the listener doesn't know, when the speaker feels most empathetic with it, and feels that it exists psychologically far from him/her.

（例）A： バスの中で，すてきな人に会ったわよ。
B： ふふん。
A： あの人にもう一度会えないかしら。

[Note] When the speaker feels most empathic with someone or something about which the listener doesn't know, and feels it exists very close to him/her psychologically, "こ" can be used.

（例）A： きのう，山田という人に会ってね。
B： うん。
A： この人はおもしろい人でね。

文　　法

Ⅰ. Causative sentence

A. Causative forms of a verb

Dictionary form	Negative form	Causative form
見る	見ない	見させる
食べる	食べない	食べさせる
着る	着ない	着させる
覚える	覚えない	覚えさせる
買う	買わない	買わせる
聞く	聞かない	聞かせる
待つ	待たない	待たせる
読む	読まない	読ませる
来る	こない	こさせる
する	しない	させる（irregular）

B. Causative sentence patterns

Original sentence

1) Yが＋Intransitive verb → Xが＋Yを＋Verb(causative)
2) Yが＋Intransitive verb → Xが＋Yに＋Verb(causative)
3) Yが＋Zを＋Transitive verb → Xが＋Yに＋Zを＋Verb(causative)

Causative sentence

（例）1)′ 娘が結婚する → 母が娘を結婚させる
　　　2)′ 娘が結婚する → 母が娘に結婚させる
　　　3)′ 娘がピアノをひく → 母が娘にピアノをひかせる

C. Usages

1. When X（＝causer）intentionally forces Y（＝causee）to perform an action regard-less of Y's will, sentence pattern 1) or pattern 3) is used.

　　（例）1. いやがったが，（母は）娘を結婚させた。
　　　　　2. いやがったが，（母は）娘にピアノをひかせた。

2．When X creates some situation, intentionally or unintentionally, which causes an action that Y can't control, sentence pattern 1) is used.

（例）　1．母が娘を笑わせた。
　　　　2．娘が母を心配させた。
　　　　3．娘が母をなかせた。

3．When Y wants to take an action, and X respects Y's desire or will to perform the action and lets Y do it, 1), 2) or 3) is used.

（例）　1．結婚したいと言ったので，（母は）娘を結婚させた。
　　　　2．結婚したいと言ったので，（母は）娘に結婚させた。
　　　　3．ピアノをひきたいと言ったので，（母は）娘にピアノをひかせた。

4．In causative sentences, the causer has to be equal to or higher than the causee in terms of status. Otherwise, the －て form of a verb ＋ "もらう or いただく" is used.

（例）（私は）先生に紹介状を書かせました。（Wrong）
　　　（私は）先生に紹介状を書いていただきました。（Correct）

II．Nominalization:　こと and の

The noun "こと" and the particle "の" are used to change a sentence into a nominal clause. In other words, they are markers for the nominalization of a sentence. The following are some examples.

（例）　1．大きいことは，いいことです。
　　　　2．日本語の勉強をはじめたのは，3年前です。
　　　　3．DKというのは，食事もできる台所のことです。

A．There are some verbs which take a nominal clause as the object. Whether a nominal clause is marked by "こと" or "の" is usually determined by the verb following it.

1．Verbs which demand the use of "の" to indicate the nominal clause: 見る, 見える, 聞く, 聞こえる, 手伝う, 待つ etc.

（例）　1．中村さんが英語で話しているのを見ました。
　　　　2．タクシーが来るのが見えました。
　　　　3．子供がないているのを聞きました。

　　　　　4．お茶をいれるのを手伝いましょう。
　　　　　5．電車が来るのを待っていました。

2．Verbs which demand the use of "こと" to indicate the nominal clause:　信じる
　（believe），話す，知らせる（inform），許す（permit），約束する（promise）etc.

　　（例）1．私は中村さんが正しいことを信じています。
　　　　　2．あした来られないことを話しておいてください。
　　　　　3．あした授業がないことを学生に知らせてください。
　　　　　4．この部屋でタバコをすうことは許しません。
　　　　　5．かならず勉強することを約束します。

3．Verbs which demand the use of either "こと" or "の" to indicate the nominal
　clause:　感じる，わかる，おぼえる，おどろく（be surprised）etc.

　　（例）1．よく勉強したこと／のが感じられます。
　　　　　2．時間をかけて作ったこと／のがわかります。
　　　　　3．この本を読んだこと／のをおぼえています。
　　　　　4．あの人が死んでいたこと／のにおどろいています。

B．"こと" originally means "thing" or "matter." When "こと" is used in the expression
　"noun の こと," it means "something/anything about the noun."

　　（例）1．なにかおもしろいことはありませんか。
　　　　　2．先生がおっしゃったことがわかりましたか。
　　　　　3．日本語の勉強のことでちょっとお話ししたいんです。
　　　　　4．中村さんのことを知りたいと思っています。

C．When we define or explain a certain word in Japanese, we usually use the following
　sentence pattern with "の" and "こと."
　　　　　[Word というのは [S] ということです]（S: Sentence）
　　　　　[Word というのは [N] のことです]（N: Noun）

　　（例）1．「ひま」というのは時間があるということです。
　　　　　2．パソコンというのはパーソナルコンピューターのことです。
　　　　　3．A： 九大というのは。
　　　　　　　B： ああ，九州大学のことです。
　　　　　4．結婚するというのは，責任が増えるということですよ。

D. The following patterns using "こと" have already been introduced in Lesson 14.

1. [Verb ＋こと＋が＋できる] (Verb: non-polite, imperfective, affirmative form) shows "potentiality."

2. [Verb ＋こと＋が＋ある] (Verb: non-polite, perfective, affirmative form) shows "experience in the past."

3. [Verb ＋こと＋が＋ある] (Verb: non-polite, imperfective) shows "habitual action in the present."

4. [Verb ＋こと＋に＋する] (Verb: non-polite, imperfective form) shows "decision."

5. [Verb ＋こと＋に＋なる] (Verb: non-polite, imperfective form) shows "report of a decision not made by the speaker."

（例）　1. 天気のいい日には富士山を見ることができます。
　　　 2. この映画は前に見たことがあります。
　　　 3. あしたからもっと早く起きることにしました。
　　　 4. 土曜日のゼミは，この本を読むことになりました。

III. Particles showing the speaker's emotional attitude

A. "なんか" is a colloquial form of "など." It follows a noun and is followed by particles "は," "が," "を" etc. It is used in the following ways.

1. Indicating examples

（例）　1. A：　どこか行ってみたいところ，ありますか。
　　　　　 B：　そうですね。ハワイとかバリ島なんか行ってみたいですね。
　　　 2. A：　外国語は勉強なさいましたか。
　　　　　 B：　ええ。中国語とかアラビア語なんかを勉強しました。
　　　 3. A：　この仕事，だれにたのみましょうか。
　　　　　 B：　山田さんなんかどうですか。
　　　 4. A：　いっしょにコーヒーなんかどうですか。
　　　　　 B：　いいですね。

2．Indicating modesty, reservation or contempt, depending on the context

（例）1．A： こんなにむずかしい本は，私なんかには読めませんよ。
   B： そんなことありませんよ。読んでみてください。
   2．A： わたしのことなんか，心配しなくてもいいんです。
   B： いえ，そういうわけにはいきませんよ。
   3．A： ねえ。映画を見に行かない。
   B： 映画なんかつまらないよ。野球にしよう。
   4．A： 山田さんに話しました。
   B： 山田なんかには話してもむだですよ。

B．"ばかり" follows a noun, adjective or verb in the following ways.

noun ＋ "ばかり"　　　　　　 ― 学生ばかり
-い adjective ＋ "ばかり"　 ― わかいばかり
-な adjective ＋ "ばかり"　 ― ひまなばかり
verb ＋ "ばかり"　　　　　　 ― 食べるばかり，食べたばかり

1．It is used to emphasize quantity, quality, frequency etc.

（例）1．ここにいるのはインドネシアの留学生ばかりです。
   2．アリスさんはアイスクリームばかり食べています。
   3．あのレストランは高いばかりで，ちっともおいしくありません。
   4．ここは静かなばかりで，便利じゃないんです。
   5．ピアノを習っているんですが，お金がかかるばかりで，なかなかうまくならないんです。

2．It is used to show that the action followed by "ばかり" has just been completed.

（例）1．A： ケーキ，食べますか。
   B： いえ，けっこうです。今食事したばかりですから。
   2．A： これについて何かご意見ありませんか。
   B： 今うかがったばかりで，まだよく考えていません。

3．It means "about," when placed after a number.

（例）1．そのリンゴ，3つばかりください。
   2．A： ご主人はもうお帰りですか。
   B： いえ。もう30分ばかりしたら帰ってくると思いますが。

練 習

1. 用法練習

＜1＞会話の下線のある部分を，下の1～5の言い方にかえて練習しなさい。

これは私の個人的な意見ですけど

　　　［A，B，Cは同じ会社で働いている。新しく導入するコンピュータについて会議
　　　で話し合っている。］

　　　　　　　　　　　：

A： 3台分は新しくできるんですが。
B： 3台……全部はだめなんですね。
A： ええ。
C： 新しい機械が入るのはいいけど，そうなると，ソフトも作り直さなくてはいけませ
　　んからね。
B： ああ……，かなり面倒ですよね。
C： ねえ。
A： そういえば，そうですね。
B： あのう，これは私の個人的な意見ですけど，とりあえず今のままでいっておいて
　　……というのはどうでしょうか。

　　　　1. こんなことを言っては何なんですが
　　　　2. こんなこと言っていいかどうかわからないんですが
　　　　3. なあんだと言われそうですが
　　　　4. ここまできてちょっと言いにくいんですが
　　　　5. 先の見通しはあとでたてるとして

個人的な	こじんてきな	personal
導入する	どうにゅうする	adopt
ソフト		software
面倒な	めんどうな	troublesome
とりあえず		for the time being
今のまま	いまのまま	present situation
先	さき	future
見通し	みとおし	prospect, anticipation

＜2＞（話し合いの時，話題の方向を修正する場合）
　　会話の下線のある部分を，下の1～5の言い方にかえて練習しなさい。

　では，話を元にもどして
　　　　［A，Bは座談会で話し合っている。Bはそのまとめ役。］
　　　　　　　　　　⋮

　A：　結局，経済記事を読む効用というのは，今起こっている様々な動きがはっきりつか
　　　　めるっていうことですね。
　B：　そうです。では，話を元にもどして，今の円高について少し考えてみましょう。

　　　　1．では，先ほどの話にもどって（もどしまして）
　　　　2．では，先ほどのお話の中にも出てきましたが
　　　　3．じゃあ，本題にもどって
　　　　4．それはさておいて
　　　　5．それでは，きょうのテーマであります

話題	わだい	subject, topic
修正する	しゅうせいする	correct
元	もと	original point
座談会	ざだんかい	round-table talk, discussion
まとめ役	まとめやく	arbitrator, organizer
結局	けっきょく	after all
記事	きじ	article
効用	こうよう	advantage, usefulness
動き	うごき	movement, trend
つかむ		grab
円高	えんだか	high yen exchange rate
本題	ほんだい	main subject
それはさておいて		put it aside

＜3＞会話の下線のある部分を，下の1～5の言い方にかえて練習しなさい。

　　よく言われることだけど
　　　　［A…学生（男性）　　B…学生（男性）］
　　A： ゆうべのニュース特集，見た。
　　B： うん，見た。ポマトだろ。
　　A： うん。ウィルスが二つの細胞をくっつけるんだね。
　　B： そう，ぼくもはじめて見たよ。
　　A： でも，よく言われることだけど，バイオテクノロジーって少しこわいところがある
　　　　ねえ。
　　B： うーん，遺伝子云々ってとこでね。

　　　　1．たしかにすごい研究だと思うけど
　　　　2．かなり前から問題になってたけど
　　　　3．このごろ，よく新聞に取り上げられてるけど
　　　　4．科学の最先端をいってるんだろうけど
　　　　5．いろんな可能性があるらしいけど

ニュース特集		news focus
ポマト		Pomato
		（potato ＋ tomato）
ウィルス		virus
細胞	さいぼう	cell
バイオテクノロジー		biotechnology
遺伝子	いでんし	gene
云々	うんぬん	so and so
すごい		remarkable, terrific
取り上げる	とりあげる	be taken in
科学	かがく	science
最先端	さいせんたん	the latest front
可能性	かのうせい	possibility

2．談話練習

場面練習
次の会話を練習しなさい。

＜1＞A： あのう，すみませんが……。
B： はい。
A： 永田町というのは，このへんですか。
B： ええ，ここです。

＜2＞A： どうしてそんなことになったの。
B： うん。じつはこういうわけなの。あのね……。
A： うん。

＜3＞A： 来週の月曜日にテストあるの知ってる。
B： えっ。ほんと。
A： うん。
B： こりゃ，大変だ。何もしていないよ。

＜4＞A： 大学院の山田さんって知ってる。
B： うん。あの髭の……。
A： そうそう。あの人ね，留学するんだって。
B： あ，そう。

　　　　　　　　　髭　　　　　　ひげ　　　　　　　mustache, beard

＜5＞A： 大学院の山田さんって知ってる。
B： ううん。
A： あ，そう。その人ね，外国に行っちゃったの。
B： ふうん。
A： ああ，あの人にもうしばらく会えないなんて……。

＜6＞A： 大学院の山田って知ってる。
B： ううん。どうして。
A： この人はよくできる人でねえ……。

練　習

次の会話を練習しなさい。

＜１＞　１）　（デパートで）

　　　　　　A：　これ，どう。

　　　　　　B：　これ。まあまあね。

　　　　　　A：　そう。じゃあ，あれは。

　　　　　　B：　あれって，黄色の。

　　　　　　A：　そう。

　　　　　　B：　そうね。あれも，まあまあね。

　　　２）　A：　ねえ，このへんにすわろうか。

　　　　　　B：　ここ。

　　　　　　A：　うん。

　　　　　　B：　でも，あっちのほうがきれいじゃない。

　　　　　　A：　うん。そうだね。あっちへ行こう。

＜２＞　１）　A：　日本は資源が少ないという事実がありますけど，このことが日本の技術
　　　　　　　　　発展と関係があるかどうかはちょっと……。

　　　　　　B：　あ，そうですか。でも……。

資源	しげん	natural resources
事実	じじつ	fact
技術	ぎじゅつ	technology
発展	はってん	development

　　　２）　A：　どうしようか。

　　　　　　B：　ううん。

　　　　　　A：　ねえ，こうしたら。

　　　　　　B：　こうしたらって。

　　　　　　A：　あのね……。

＜３＞　１）　A：　貧困問題は，まだまだいろいろな国で見られますね。

　　　　　　B：　そうですね。ううん。この問題は，われわれ日本人も真剣に考えていか
　　　　　　　　　ないと……。

　　　　　　A：　ええ。

| 貧困 | ひんこん | poverty |
| 真剣に | しんけんに | seriously |

2）A： ねえ，見て。台風，今四国みたい。

B： これじゃあ，あしたのピクニック，中止だな。

A： そうだな。

<4> 1）A： ねえ，あの人，わたしの彼に似ていない。

B： 彼って，鈴木君。

A： そうよ。

B： どれ。

2）A： 絵は，どんなのが好きですか。

B： そうですね。ルオーなんか，いいですね。

A： それ，あの暗い絵を描いた。

B： そうです。

A： ああ，あの絵ね。

| ルオー | るおう | Georges Rouault（the name of a painter, 1871-1958） |

<5>A： 山田さん，若いころにもどりたいって思ったことあります。

B： うん。あるね。もう一度高校のころにね。

A： あ，そうですか。

B： あのころはなんにも悩みごとがなかったしね。

| 悩み | なやみ | worries, distress |

<6> 1）A： よかったよ。きのう行ったレストラン。

B： おいしかった。

A： うん。

B： 値段は。

A： これがまた安いんだよ。

B： あ，そう。

2）A： ひどかったよ。きのう行ったレストラン。

B： まずかった。

A： まずい，まずい。

B： あ，ほんと。値段は。

A： それがまた高いんだよ。

B： あ，そう。

3．文法練習

< 1 > "Causative sentence" の練習　（I）
　　　会話の下線のある部分を，下の 1 ～ 5 の言い方にかえて練習しなさい。

　　辞書（を）使う
　　A：　あの，きのう，だまって<u>辞書，使わせ</u>てもらいました。
　　B：　あ，そう，かまわないよ。
　　A：　すみません。
　　B：　いや，いや。

　　　　1．荷物（を）置く
　　　　2．雑誌（を）読む
　　　　3．レジメ（を）コピーする
　　　　4．机の位置（を）変える
　　　　5．先輩の部屋で休む

　　　　だまって　　　　　　　　　　　　　　　without telling
　　　　荷物　　　　　　　にもつ　　　　　　personal belongings

<2>「～こと and ～の」の練習　(II-C)

　　会話の下線のある部分を，下の1～5の言い方にかえて練習しなさい。

　　停電，電気が止まる

　　　　　［新聞を見ながら話している］

　　A：　この停電というのは。

　　B：　ああ，電気が止まるっていうことですよ。

　　A：　あ，止まる……。

　　B：　そう。

　　　　1．断水　　　　　水道の水が出なくなる
　　　　2．省エネ　　　　エネルギーを節約する
　　　　3．緑化　　　　　木や花をたくさん植える
　　　　4．殺人的　　　　とてもひどい
　　　　5．ポシャる　　　計画などがだめになったりする

停電	ていでん	power failure, blackout
断水	だんすい	suspension of water supply
省エネ	しょうエネ	saving energy
エネルギー		energy
節約する	せつやくする	save
緑化	りょっか	planting trees
植える	うえる	plant
殺人的	さつじんてき	awfully, terribly
ひどい		terrible
ポシャる		fail, be turned down

＜3＞「ばかり」の練習　（III-B）

会話の下線のある部分を，下の1〜5の言い方にかえて練習しなさい。

エアロビクスをやってる，お金がかかる，効果がない
　A： エアロビクスをやってるんだって。
　B： ええ。でも，お金がかかるばっかりで，ぜんぜん効果がないんです。

1．バイトを始めた	時間をとられる	お金にならない
2．あのレストランに行った	高い	おいしくなかった
3．新しいストーブを買った	大きい	暖かくならない
4．車を買った	ガソリン（を）くう	スピードが出ない
5．弟さんも手伝ってる	口	仕事をしない

かかる		cost
効果	こうか	effect
バイト		part-time job
くう		use

聞 く 練 習

A 講演：建築における日本美

建築	けんちく	architecture
ごしょうちのように	ご承知のように	as you know
かつらりきゅう	桂離宮	Katsura Detached Palace
えどじだい	江戸時代	Edo (Tokugawa) Period
しょき	初期	early times
ブルーノ・タウト		(name of a German architect)
えいえんなるもの	永遠なるもの	something eternal
しょうさんする	賞賛する	admire
こえる	超える	be beyond
うったえかけてくる	訴えかけてくる	appeal
ふうど	風土	natural features
せいかつようしき	生活様式	life style
むすびつく	結び付く	have a connection (with)
かんじゅせい	感受性	sensitivity
いしきこうぞう	意識構造	conscious structure
にわ	庭	garden
そうごうてきな	総合的な	unified
げんり	原理	principle
てんけいてきに	典型的に	typically
しきいし	敷石	flagstone
はいち	配置	arrangement
くうかん	空間	space
しかくな	四角な	square
シンメトリー		symmetry
たいしょうてき（な）	対称的（な）	symmetrical
ふきそくな	不規則な	irregular
いっしゅの	一種の	a kind of, a sort of
かんかくてきな	感覚的な	sensuous
ごうりてきな	合理的な	rational
しょいん	書院	study (room)
やね	屋根	roof
かさなりかた	重なり方	way of overlapping

きかがくてきな	幾何学的な	geometrical
ひたいしょうてきな	非対称的な	non-symmetrical
ちつじょ	秩序	order
ちょうわ	調和	harmony, coordination
ていえん	庭園	garden
かいゆうしき	回遊式	circular-walk style
かくど	角度	angle
こだち	木立	grove, clump of trees
ひらけた	開けた	open
ふうけい	風景	scenery
してん	視点	viewing point
ながめ	眺め	view
へんかにとむ	変化に富む	full of variety
あじわい	味わい	profound flavor
おおがかりな	大がかりな	large scale
ル・ノートル		(name of a French gardener)
ベルサイユ		Versailles Palace
ひかくする	比較する	compare
せいぜんとする	整然とする	well-regulated, systematic
ほうしゃせんじょう	放射線状	radiating style
さゆうたいしょう	左右対称	symmetry on right and left
かだん	花壇	flower bed
ひとめ	一目	at a glance
とらえる	捕らえる	catch
びみょうな	微妙な	delicate
とくしつ	特質	special characteristics
みんぞく	民族	tribe, nation
ふへんてきな	普遍的な	universal

桂離宮

桂離宮

ベルサイユ

（加藤周一・NHK 取材班『日本 その心とかたち―5 琳派 海を渡る』平凡社 より）

C　名前について

男性（一人）と女性（二人）が，名前について話している。

くさかんむり	草かんむり	(one of the radicals of Chinese characters which has the meaning of "grass")
じんめい	人名	personal name
まぎらわしい	紛らわしい	indistinct, confusing
ややこしい		complicated
しっぽ/お	尻尾/尾	tail
わりと		pretty, fairly
こうしゅうでんわ	公衆電話	public telephone
みみがとおい	耳が遠い	be hard of hearing
こせき	戸籍	census register, family register
つうしょう	通称	assumed name commonly used
めんどうくさい	面倒くさい	bothersome
とくがわいえやす	徳川家康	(name of a Shogun)
ほうりつてきに	法律的に	legally
みとめる	認める	acknowledge, recognize
びじん	美人	beauty
めいわく（な）	迷惑（な）	troublesome
じょゆう	女優	actress
どうせいどうめい	同姓同名	the same family and given name
なまえまけしている	名前負けしている	be unworthy of the name (because the name has a marvelous connotation)
よわむし	弱虫	coward
ゆうゆうと		calmly, at ease
よのなか	世の中	world, society
はやり		fashion
たいしょう	大正	Taishoo Period
ひびき	響き	sound
まんようがな	万葉がな	(Chinese characters which were used as syllabic letters to write Japanese poems in the 8th century)
たいへいよう	太平洋	Pacific Ocean
ふけつ	不潔	uncleanliness, filth
いっぺんで		by (hearing) only once, right away, at once

くるが、ひとつには、普通の枠をはみだした現象、つまり多少なりともグロテスクな現象に接すると、人間は発作的に笑いだしたくなるものらしい。

人形たちの音楽家のパロディにしても、音楽家たちが熱演すればするほど、一般に目立ちはじめる特徴を誇張してみせていたわけで、そうしたグロテスクな一面が音楽の美しさと表裏一体で付きまとうということを、どんな小さな子どもでもとっくに気づいているからこそ、音楽を笑うのではなく、天使ならぬ人間がその音楽を奏でなければならない、その避けがたい不完全さを、同じ人間としては愛すべきこととして笑うのだ。

たとえば、人間の子ども、動物の子どもを問わず、子どもとはかわいいものだ、と大人たちは思い、愛情を寄せている。しかし、これも頭でっかちのよちよち歩きや、すっとんきょうな振る舞いがおかしく、いつでも大人たちを笑わせてくれることが確実な存在だから、かわいく思えているのかもしれない。一人の人間としてまだ未完成なために、子どもたちは道化として大人たちを楽しませてくれる。」

サーカスにつきものの道化たちは最も純粋な形で、グロテスクな笑いを演出して見せてくれているのだが、その笑いはありきたりの人間の日常生活そのものに含まれているのだ、とこのごろ、私自身、実感されてならない。

（津島佑子「初めて知ったコメディの意味」『朝日新聞』一九八八年九月一二日付夕刊より ©朝日新聞社）

道化　　　　　　　　キューピット

読む練習

笑いについて

六、七年前に、子どもと共に見に行ったモスクワの人形劇がいまだに忘れられずにいる。

なにが、そんなにわすれられないのか。その時に子どもたちと思いきり声を出して笑った笑いが忘れられない。前の席にいた老人たちも、中年の男女も屈託なく笑い声をあげていた。年齢も立場も違う人たちが、ほとんど意味らしい意味はない人形の動きを見て、同じように喜び、笑っている。そのことに、私は幸せを感じていたのだ。人形たちは、バッハ風のフーガを見事に歌う。しかし、ビタミンA、ビタミンBという歌詞でしかないことにやがて気づかされ、こちらは吹き出してしまう。

オペラ歌手が登場してくる。聞かせどころになると、口があれよあれよと大きく広がりはじめ、しまいには顔の五倍もの大きさになってしまう。

ベートーベン風ピアニストの、情熱的すぎて気ちがいじみてくる演奏。

まだ口におしゃぶりをくわえている赤ん坊が乳母車で登場し、ピアノの前に座らされると、突然、リストばりの演奏を披露しはじめる。ところが、なにしろ赤ん坊なので、気まぐれに演奏をやめてしまい、ピアノのまわりをハイハイしはじめる。大人たちにあやされてピアノの前に戻ると、今度は即興曲を弾くことにする、と赤ちゃん語であいさつし、美しい曲をかなではじめる。わたしたちもつい、うれしくなって、キューピッドのような赤ん坊に拍手を送らずにはいられなくなる。

私たち観客の笑いは単純だ。そのように単純に笑えたことが、人生の経験とはなんの関係もなく、言葉も介入しないところで、老若男女、笑いを共にできたことが、私を幸せな気持ちに誘った。そうした笑いに触れる機会は、貴重なものになってしまっている。

私たちは日常、よく笑う。笑いとはなにか、などと構えて考えはじめると、難しくてわけがわからなくなって

単 語 表

人形劇	にんぎょうげき	puppet show
屈託ない	くったくない	carefree, innocent
幸せ	しあわせ	happiness
バッハ風	バッハふう	Bach's style
見事な	みごとな	beautiful
歌詞	かし	words of a song, lyrics
吹き出す	ふきだす	burst into laughter
演奏	えんそう	performance
乳母車	うばぐるま	baby carriage
～ばり		resemblance to
披露する	ひろうする	introduce
戻る	もどる	return, go back
即興曲	そっきょうきょく	impromptu
弾く	ひく	play
拍手	はくしゅ	applause
介入する	かいにゅうする	step in, interfere in
老若男女	ろうにゃくなんにょ	young and old, and men and women
触れる	ふれる	meet, feel, touch
貴重な	きちょうな	valuable
構える	かまえる	pose
枠	わく	frame
発作的に	ほっさてきに	suddenly
熱演する	ねつえんする	play enthasiastically
特徴	とくちょう	feature
誇張する	こちょうする	exaggerate
表裏一体で	ひょうりいったいで	inside and outside together as one
天使	てんし	angel
奏でる	かなでる	play, perform
避ける	さける	avoid
（愛情を）寄せる	よせる	put (one's love) in
振る舞い	ふるまい	behavior, manner
未完成な	みかんせいな	incomplete
道化	どうけ	clown
純粋な	じゅんすいな	pure

参 考 資 料

1．会話ノート「談話の諸相」（日本語版）
2．文法（日本語版）

付：年号早見表
　　日本地図

1．会話ノート
談話の諸相

第　10　課

あいづち（3）

日本語の会話では，話し手が途中まで言った文を聞き手が完成する，ということがよくあります。つまり，話し手と聞き手が協力して一つの文を完成するわけです。次の例を見てください。

（例）A： 先生，この文法があまりよく……。
　　　B： わかりませんか。
　　　A： ええ。

上の例では，Ｂさんは「わかりませんか」と言ってＡさんに協力していると考えることができます。ＢさんがわかんがＡさんの邪魔をしているのではありません。むしろ積極的に会話に参加しているのです。Ａさんも文を途中で終わって，残りの部分をＢさんが言ってくれることを待っていると言っていいでしょう。
ではどのようにして文を完成させればいいのでしょうか。
よく行われているのは，会話の状況から判断するやり方です。次の例を見てください。

（例）A： きのう，ひさしぶりに六本木へ行きました。
　　　B： あっ，きのうですか。
　　　A： ええ。
　　　B： じつは，わたしもきのう……。
　　　A： 行ったんですか。
　　　B： ええ。
　　　A： ああ，そうですか。

否定文と一緒に使われる副詞があると，文を完成しやすくなります。次の例を見てください。

（例）A： 顔色がよくないですね。
　　　B： ええ。体の調子があまり……。
　　　A： よくないんですか。
　　　B： ええ。

「です」「でした」

「です」または「でした」を付け加えることで文を完成させるやり方もあります。これは述部が「名詞＋です」または「名詞＋でした」の時に使われます。次の例を見てください。

> （例）A： この絵はピカソの……。
> 　　　 B： ですね。
> 　　　 A： やっぱり。

> （例）A： きのう一番さきに来たのは，たしか山田さん……。
> 　　　 B： でしたね。
> 　　　 A： そうでしたよね。

「ですね」のようなあいづちは，かなり親しい間柄の時にだけ使われます。
また，「と思います」や「かもしれません」があいづちとして使われることもあります。
次の例を見てください。

> （例）A： きのう一番さきに来たのは，たしか山田さん……。
> 　　　 B： だったと思います。

> （例）A： 先生は来週東京へいらっしゃるみたい。
> 　　　 B： あっ，ほんと。じゃ，来週のゼミは休み……。
> 　　　 A： かもしれませんね。

第 11 課

「のだ」について（1）

「のだ」はどんな時に使うのでしょうか。
まず第一に，聞き手と共有していると思われる事柄について説明を求めたい時に使います。「共有している」というのは，話し手と聞き手が見たり聞いたりしたことですが，話し手が期待していなかったことについて説明を求めることもあります。例えば，「ねむいですか」は，ただねむいかどうかを聞いているだけですが，「ねむいんですか」のほうは，相手がねむそうだったり退屈そうだったりしていることを前提としています。つまり，「のだ」は，その状況になった理由をたずねていると考えることができます。
第二に，聞き手と共有していると思われる事柄について説明を与える時に使います。この場合も，話し手・聞き手が見たり聞いたりしたことに基づいています。「病気です」というのは身体の状態について述べているだけです。しかし，「病気なんです」というのは，会議に出席

できないとか勉強に集中できないことの理由を説明する時に使います。次の例を見てください。

　　　　（例）A：　頭がいたいんですか。
　　　　　　　　B：　ええ。かぜなんです。

上の会話でAが「のだ」を使っているのは，Bの様子について説明を求めているからであり，Bが「のだ」を用いているのは，それを説明しようとしているからです。

第三に，疑問詞を持つ疑問文でもよく使います。これは，すでに得た情報をもっと詳しく知りたい時や，もっと詳しく説明したい時です。次の会話を見てください。

　　　　（例）A：　わあ，すてきなセーターね。
　　　　　　　　B：　そう。
　　　　　　　　A：　どこで見つけたの，こんなすてきなの。
　　　　　　　　B：　うん。うちのちかくの店。

「のだ」「のです」は会話では「んです」「んだ」「の」に変化することが多いようです。
次の表で練習してください。

		丁寧形	非丁寧形
動詞	行きます 行きました	行くんです 行ったんです	行くんだ/行くの* 行ったんだ/行ったの
-い形容詞	いたいです いたかったです	いたいんです いたかったんです	いたいんだ/いたいの いたかったんだ/いたかったの
-な形容詞	ひまです ひまでした	ひまなんです ひまだったんです	ひまなんだ/ひまなの ひまだったんだ/ひまだったの
名詞＋だ	学生です 学生でした	学生なんです 学生だったんです	学生なんだ/学生なの 学生だったんだ/学生だったの

　＊　／の前の形は男の人が使います。／の後は男の人も女の人も使います。また，文末の「の」は，
　　　上昇イントネーションでは疑問を表し，下降イントネーションでは肯定を示します。
　[注]　疑問文中の「んです」の発音には注意が必要です。それは，関心，驚き，苛立ち，あるいは
　　　　批判などのいろいろな感情が伴うからです。テープをよく聞いて確かめてください。

第　12　課

「のだ」について（2）

「のだ」はまた，話し手が提供する話題に聞き手を引き込む機能があります。次の会話を見てください。

　　　　（例）A：　あしたみんなでピクニックに行くんだけど……。
　　　　　　　　B：　うん。
　　　　　　　　A：　いっしょにどう。

二つの事柄を強く比較したいときにも「のだ」を使うことがあります。次の会話を見てください。

　　　　（例）A：　この問題はかんたんよね。
　　　　　　　　B：　うん。
　　　　　　　　A：　でも，つぎのがむずかしいのよね。

他方，感情を強調して表現したいときにも「のだ」を使います。

　　　　（例）A：　どうしてこんなにむずかしいの，日本語って。
　　　　　　　　B：　そう。

「のだった（んでした／んだった）」

この形式は，まず第一に，過去に得た情報を急に思いだしたときに使います。

　　　　（例）A：　あ，3時に電話するんだった。
　　　　　　　　B：　ええ，もう4時よ。はやく電話したら。
　　　　　　　　A：　うん，そうする。

Aは，3時に電話する約束を急に思いだして，少し遅くなったけれども今から電話をかけるという会話です。この「んだった」は上昇でも下降でもないイントネーションで，ひとりごとのように発音します。
　［注］「んでした／んだった」の前では，「んです」と同じように非丁寧形を使います。次の二つの文を見てください。
　　　　1）行くんでした。
　　　　2）行ったんでした。
　　　1）では，まだ実現されていない行為についての情報を想起していますが，2）で

は，すでに実現されている行為についての情報を想起しています。

また，「んでした/んだった」を少し高く長く発音すると意味が変わります。次の会話を見てください。

（例）A： きのうの授業，おもしろかったよ。
B： ほんと。出るんだった。

Bは，きのうの授業に出なかったことをとても残念に思っています。このような時にも「んでした/んだった」を使うことができます。

第 13 課

中止文（1）

A．勧める

「どうぞ」という副詞を使って何かを勧める場合，しばしば述部の部分が省略されます。これは，勧められているものやことがその場面や話し手の非言語行動によって容易に理解されるからです。例えば，訪問した時次のような意味で「どうぞ」が使われます。

（例） 1．どうぞ（お入りください）。
2．どうぞ（おすわりください）。
3．どうぞ（お茶をお飲みください）。

B．提案する

聞き手の望むことが明らかな時，話し手は迂回表現を使って勧めたり提案したりします。

（例）A： ああ，のどがかわいた。
B： 冷蔵庫につめたいものがありますけど……。
A： あっ，そう。じゃあ……。

上の会話でAの意図は明らかで，BはAに冷蔵庫から冷たい飲物を取って飲むように提案しています。

「けど」

「けど」はふつう逆接の意味で使われます。しかし，提案したり，聞き手の望みについて

尋ねたりした時に「けど」を使うことがありますが，これによって話し手のためらった気持ちが伝わります。例えば，「冷蔵庫に冷たいものがありますけど」という文は，「冷蔵庫に冷たいものがありますけど，もしよろしかったらいかがですか」ということが伝わります。「けど」の前には，状態や事実を客観的に述べた文が来ます。「けど」の他の形には，「けども」「けれど」「けれども」「が」があります。あらたまった会話ではこれらの表現の前には，丁寧形で終わる文が来ます。「が」の前の文は常に丁寧形が来ます。「けど」の後ろには，「どうですか」「－てください」「－ませんか」のような勧誘・依頼を表す文が予想されます。

　　　（例）１．冷蔵庫に冷たいものがありますけど，（いかがですか。）
　　　　　　２．冷蔵庫に冷たいものがありますけど，（どうぞ飲んでください。）
　　　　　　３．冷蔵庫に冷たいものがありますけど，（飲みませんか。）

「けど」は，押しつけにならないようにためらうような音調で発音することが大切です。

第　14　課

中止文（２）

Ａ．丁寧に断る

勧められたり，提案されたり，招待されたりしたことを断る場合，文を途中で中止することがあります。これは，話し手のためらっていることを伝えます。

　　　（例）Ａ：　明日，いっしょに泳ぎに行きませんか。
　　　　　　Ｂ：　明日はちょっと，……。
　　　　　　Ａ：　ああ，そうですか。
　　　　　　Ｂ：　ええ。
　　　　　　Ａ：　じゃあ，またいつか。
　　　　　　Ｂ：　ええ。すみません。

「明日はちょっと……」の文は実際は「明日は都合が悪いんです」「明日は行けないんです」という意味を伝えます。そして「都合悪いんです」「行けないんです」が省略されます。

「ちょっと……。」

「ちょっと」は，断ったり，不賛成を示したりする時に使うと，おだやかな印象を聞き手

に伝えます。話し手が聞き手に迷惑をかけることをためらっているという心的態度が伝わります。

「どうも」

「どうも」も話し手の消極的な態度を示すものとして使います。これも，文を途中で中止する文とともに使うことがあります。
「明日はちょっと……」の文中の「明日は……」をためらうような，そして懸垂状の調子で発音すれば，「ちょっと」というような副詞を使わなくても，話し手の消極的な態度は伝わります。

「ので，から，〜て，〜し」

「ので，から，〜て，〜し」の後に続く文は省略することがあります。

（例）A： 明日，いっしょに泳ぎに行きませんか。
　　　B： あっ，明日はテストがあるので……。
　　　A： ああ，そうですか。

「から」は話し手が断る理由を正当化するおそれがあります。「ので」は理由を客観的に述べるものとして使われるようです。ですから，改まった場面では，「ので」を使ったほうがいいでしょう。

B. 消極的な評価

話し手が消極的（否定的）な判断を示したり，消極的（否定的）な意見を述べたりしたい時は，話し手のためらいを示すために，文を途中で中止することがよくあります。例えば，相手が述べた提案などに対して消極的（否定的）であることを示すために「それでもいいんですが……。」というような言い方をします。きっぱりと否定したりすることが許されないような場面ではこのような言い方をして，聞き手の提案が修正されるのを待ちます。「が」「けど」などを使うことによって，話し手が消極的な評価をしていることが間接的に聞き手に伝わります。もちろん，ためらうような音の調子が大切になります。

第 15 課

助 言

助言の表現の中で「～ほうがいいです」「～たらどうですか」は比較的多く使われるものです。「～ほうが」「～たら」の後ろに続く文は省略することがあります。

    （例）A： ああ，頭がいたい。
        B： だいじょうぶですか。
        A： ええ，すこし熱があるんです。
        B： じゃあ，病院に行ったほうが……。
        A： ええ。

丁寧に助言するのはそれほど簡単ではありません。目上の人に「-たほうが」の表現を使って助言する必要がある時には，尊敬の形を含め，文末はできるだけためらうような調子で発音しなければならないでしょう。

    （例）病院にいらっしゃったほうが……。

「～たら」はくだけた会話の中で現れ，親しい人に対して使います。

「～と」

    （例）1．A： よくタバコを吸いますね。
            B： ええ。ちょっと吸いすぎだと思います。
            A： そうですね。
            B： ええ。
            A： あまり吸いすぎると……。
            B： ええ。わかっています。
        2．A： よくタバコを吸いますね。
            B： ええ。ちょっと吸いすぎだと思います。
            A： そうですね。
            B： ええ。
            A： タバコをやめないと……。
            B： ええ。わかっています。

「あまり吸いすぎると……」「タバコをやめないと……」という文は実際，節煙すること，あるいは禁煙することを助言しています。もし話し手Aが，「あまり吸いすぎると病気になりますよ」「タバコをやめないと病気になりますよ」のように，文を最後まで言い切ってし

まうと，AがBに禁煙を強要したり，喫煙を非難しているように聞こえます。それを回避するためにAは「-と」で文を中止させています。このように文を途中で中止するのは会話能力の低さを示すものではなく，聞き手への配慮を示すものであり，肯定的に評価できます。

第 16 課

話し言葉における文の成立

A．「名詞＋です/だ/φ」による文

主語がなくても，述部が「名詞＋です/だ/φ」だけで文になります。φ は「です/だ」の省略の意味です。

（例）1．A： あ，雨だ。
　　　　　B： あ，本当だ。
　　　2．A： あと15分で，東京ですね。
　　　　　B： そうですね。
　　　3．A： あ，地震。
　　　　　B： 違うよ。車が通っただけだよ。
　　　4．海だ。青い海だ。何万年も生き続けてきた海だ。（独白）

B．「形容詞/動詞」による文

一つの形容詞，一つの動詞があるだけで，文として成立します。

（例）1．A： あついですね。
　　　　　B： そうですね。たまりませんね。
　　　2．A： にぎやかですね。
　　　　　B： まあ，1年に1度のことですからね。
　　　3．A： もう帰りませんか。
　　　　　B： いや，まだ仕事があるので……。

名詞句は，特に必要がなければ明示する必要がありません。名詞句が，先行文脈や場面から復元可能な時には省略したほうが自然です。省略されたものが何かを確かめたい時には，動詞と，それが要求する名詞句の関係を思い出すことです。この詳しい説明は，『現代日本語コース中級I』の第1課，第2課にあります。

（例）1．A： φ　φ　φ　もらいました。
　　　　　B： 何を。
　　　　　A： チョコレート。
　　　　　B： 誰に。
　　　　　A： ゆかりさん。
　　　2．A： （Bさんは）（友達に）（小包を）送りましたか。
　　　　　B： はい。φ　φ　φ　送りました。
　　　　　A： いつ送りましたか。
　　　　　B： 昨日送りました。

C．助詞「が」「を」「は」を省略した文

疑問，確認，念押し，主張など，話し手の姿勢・感情が文末に現れる時には，「が」「を」「は」は省略できます。しかし，省略によって文意が不明確になる時には，省略しません。このように，話し言葉では，助詞を省略しても，文は成立します。書き言葉では，普通省略しません。

　（例）1．A： この新聞，読みましたか。
　　　　　B： はい。もう読みました。
　　　2．A： アリスさん，帰りましたか。
　　　　　B： ええ，さっき。
　　　3．A： この本，おもしろいですよ。読んでみませんか。
　　　　　B： ちょっと見せてください。
　　　4．A： これ，つまらないものですが。
　　　　　B： ああ，いつもすみません。

上の例4で，Aは「これはつまらないものですが」とは言いません。つまり，Aさんの気持ちは，「これ＝つまらない」と言いたいのではなく，「これをどうぞ」というつもりで，謙遜の表現を添えたのです。

第　17　課

「こ・そ・あ」と「こ・そ・あ」の「そ」について

「こ・そ・あ」

　（例）1．A： それ，何。
　　　　　B： どれ。

      A： その左の。

      B： あ，これ。

      A： うん。

      B： クリスマス・カード。

      A： へえ。きれいね。

　2．A： 「金閣寺(きんかくじ)」っていう本，読んだけど，おもしろかったわ。

      B： へえ。その本，だれが書いたの。

      A： 知らないの。三島由起夫（みしまゆきお）。

      B： その人，有名な人。

      A： ええ。有名よ。

「こ・そ・あ」の用法

用法Ⅰ　話し手と聞き手が観察できる物，人，場所，方向について話し手が言及する場合
　　　（上の例1参照）
用法Ⅱ　話し手が会話の中の文脈で示されたものについて言及する場合
　　　（上の例2参照）

表　「こ・そ・あ」

			近称	中称	遠称
		指示	近称	中称	遠称
体言	もの 場所 方向	これ ここ こちら （こっち）	それ そこ そちら （そっち）	あれ あそこ あちら （あっち）
連体形	指定 性状	この こんな	その そんな	あの あんな
連用形	様態	こう	そう	ああ

（例）1．A： 山田さん，どこにいる。

　　　　　B： 今あっちへ行ったよ。

　　　2．A： 「金閣寺」という本，知っている。

　　　　　B： そんな本，知らないわ。

「そ」

用法Ⅰ
　A．「そ」は，聞き手の近くにあるものを指示する時に使います。

（例）A： それ，取ってください。

B： これですか。

A： ええ，そうです。

B．「そ」はまた，話し手と聞き手から近くもなく遠くもないところにあるものを指示する時に使います。

（例）（タクシーで）

A： その角で止めてください。

B： ええと，そこと言いますと……。

［注］　話し手が，物理的あるいは心理的に，聞き手から離れていると感じている場合は，「そ」の用法Ⅰ-Aを使います。一方，話し手が，物理的あるいは心理的に，聞き手に近いと感じている場合は，「そ」の用法Ⅰ-Bを使います。

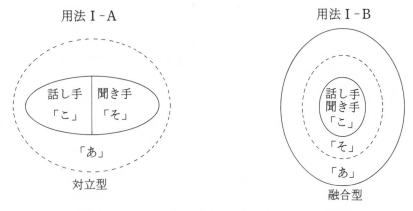

用法Ⅰ-A　　　　　　　　　　　　　　　用法Ⅰ-B

対立型　　　　　　　　　　　　　　　　融合型

用法Ⅱ

A．「そ」は，話し手2が話し手1の述べた発話中の話題について言及する時，使います。話し手2はその話題についての知識はありません。

（例）話し手1： 「金閣寺」って本，おもしろいよ。

話し手2： その本，どんな本。

話し手1： 知らないの。有名な本よ。

B．「そ」は，話し手1が自分で述べた発話中の話題について言及する時，使います。話し手2がその話題について知識がないと，話し手1は思っています。

（例）話し手1： 「金閣寺」っていう本，おもしろいよ。

話し手2： 金閣……。

話し手1： あっ，その本知らない。

話し手2： ええ。

C．「そ」は，話し手1あるいは話し手2のどちらかが述べた発話中の話題について言及する時，使います。話し手1も話し手2も話題について知識がありません。

（例）話し手1：「金閣寺」っていう本，おもしろいらしいね。
話し手2： そんな本，知らないな。
話し手1： ぼく，読んでないけど，その本，有名らしいよ。

第 18 課

「こ・そ・あ」の「こ」と「あ」について

「こ」

「こ」と「あ」は第17課で示した「そ」の用法を応用して考えることができます。

用法Ⅰ
A．「こ」は，話し手の近くにあるものを指示する時，使います。

（例）A： それ，取ってください。
B： これですか。
A： はい。

B．「こ」はまた，話し手と聞き手の両者に近いものを指示する時，使います。

（例）A： ここに置こうか。
B： ここ。
A： うん。
B： あっちのほうがいいんじゃない。
A： そう。

用法Ⅱ
A．「こ」は，話し手が述べたこと，あるいはこれから述べようとすることを指示する時，使います。

（例）A： 僕の意見はこうです。理論と現実は違うんじゃないかと……。
B： なるほど。

B．「こ」は，話し手1あるいは話し手2のどちらかが述べた発話中の話題に言及する時，

使います。この話題は，話し手1と話し手2のどちらか，あるいは両者にとって緊密なものです。

> （例）A： 旅行の計画，どうする。
> 　　　 B： そうね。これはみんなで考えよう。

「あ」

まず，「あ」には用法Ⅰ-Bと対になる使い方があります。話し手と聞き手から離れているものを指示する時に使います。

> （例）A： ここで写真とろうか。
> 　　　 B： ここ。
> 　　　 A： うん。
> 　　　 B： でも，あっちのほうがもっといいんじゃない。
> 　　　 A： そう。

次に用法Ⅱ-Aと対になる使い方があります。話し手と聞き手が既に知っている話題に言及する時に使います。

> （例）A： おおい。あれ，持ってきて。
> 　　　 B： はあい。

用法Ⅱ-Bと対になる「あ」は，聞き手が知らないと思われる話題を指示します。この場合，話題は，話し手にとって心理的に離れて存在していますが，回想の感情を含むものです。

> （例）A： バスの中ですてきな人に会ったわよ。
> 　　　 B： ふうん。
> 　　　 A： あの人にもう一度会えないかしら。

［注］聞き手が知らないと思われる話題に言及する時に，「こ」を使うことがあります。話題が心理的に話し手に近いものとして考えられる場合です。

> （例）A： 昨日山田という人に会ってね。
> 　　　 B： うん。
> 　　　 A： この人はおもしろい人でね……。

2. 文　法

第　10　課

I.「も」の用法

A.　文中での位置

1．名詞＋格助詞＋も（「が」と「を」は省略する）
2．四つの述語の「－て形」＋も
3．動詞の連用形（「－ます形」から「－ます」を取る）＋も
4．－い形容詞の「－く形」＋も
5．数量詞＋も

（例）1．東京からもたくさん来ました。
2．写真をとってもかまいません。
3．この2日間飲みも食べもしていません。
4．暑くも寒くもありません。
5．12年も勉強しているのにまだ上手に話せないんです。

B.　使い方と意味

1．「も」は肯定文中で「どちらもそうだ」という意味を表し，否定文中では「どちらもそうではない」という意味を表します。

（例）1．ルインさんはバスで行きます。アリスさんもバスで行きます。
2．山田さんはきのう休みました。今日も来ませんでした。
3．手紙も書きませんでしたし，電話もしませんでした。

2．「も」は，比較するものが明確でない時にも使うことがあります。心理的用法の一つであり，話し手の心の中にあるものと比較していると考えられます。

（例）1．今年ももう終わりですね。
2．わたしもずいぶん年をとりました。
3．君もわからない人ですね。

3．疑問詞の後ろについて，全肯定または全否定を表します。

（例）1．どれも新しいものばかりです。

2．ルインさんはいつも勉強しています。

3．明日はどこへも行かないつもりです。

4．このことはだれにも話していません。

4．名詞，名詞＋格助詞，数量詞の後ろについて，極端な例を表します。

（例）1．わたしにもできることが，どうして君にできないんでしょうか。

2．新聞も十分に読めません。

3．たくさんお金を使って，今1円もありません。

5．数量詞の後ろについて，話し手の判断を示します。肯定文中では，その数量が大きいという判断を示し，否定文中では，その数量以下であるという気持ちを表します。

（例）1．1週間で漢字を100もおぼえたそうです。

2．子供が100万円も持っているというのは本当ですか。

3．こんな仕事は3日もかかりません。

4．こんなに疲れていては，10ページも読めません。

6．条件文中の「数量詞＋も」は，その数量で十分だという意味を表します。

（例）1．10分もあれば大学に着けるでしょう。

2．2,000円もあればだいじょうぶです。

3．2時間も寝ればすぐによくなるでしょう。

II．意志・確信の表現

A．意志

1．動詞の意志形＋思う
意志形には肯定と否定の2種類があります。

	辞書形	肯定の意志形	否定の意志形
第1群の動詞	見る 食べる 教える	見よう 食べよう 教えよう	見まい 食べまい 教えまい
第2群の動詞	買う 書く 話す	買おう 書こう 話そう	買うまい 書くまい 話すまい
不規則動詞	来る する	こよう しよう	こまい しまい

（例）1．来年は論文を書こうと思います。
    2．30分ほど待ってみようと思っています。
    3．英語では話すまいと思っています。
    4．勉強中はぜったいテレビを見まいと思います。

2．修飾句/節＋つもりだ

a．指示詞＋つもりだ

（例）A：　会社をやめるんですか。
    B：　ええ，そのつもりです。

b．名詞＋の＋つもりだ

（例）A：　何時に出発しますか。
    B：　10時のつもりです。

c．動詞の未完了形（非過去形）＋つもりだ

（例）1．来月帰国するつもりです。
    2．後で電話するつもりです。
    3．英語では話さないつもりです。
    4．二度とここには来ないつもりです。

［注1］　「つもりだ」の否定は「つもりはない」で，この形は，上のc‐3，c‐4の例文
      より強い否定を表します。

（例）1．悪いことをするつもりはありません。ちょっと中を見るだけです。
　　　2．今結婚するつもりはありません。

［注2］「つもりだ」の完了形（過去形）は「つもりだった」で，意志はあったが，実際
　　　　には実行しなかったことを表します。

（例）1．勉強するつもりでしたが，友達が来てできませんでした。
　　　2．旅行に行くつもりでしたが，かぜをひいて行けませんでした。

B．確信

1．「はず」

a．第三者の行為や状態について話し手が確信している時に「はず」を使います。「つも
　　り」と同様に，句や節によって修飾されます。

（例）1．中村さんは3時ごろ来るはずです。
　　　2．アリスさんは図書館にいるはずです。
　　　3．あまり高くないはずです。

b．話し手が過去に行ったことや，これから行うことについて，話し手が確信している
　　時にも「はず」を使うことができます。

（例）1．きのうたしかに（わたしが）ここにおいたはずなんですが……。
　　　2．「たばこをすってはいけない」と何度も言ったはずですよ。
　　　3．あしたの3時ごろは研究室にいるはずです。

c．「はずだ」の否定形，完了形は，「つもりだ」と同様です。

（例）1．あしたはテストなんですから，あそぶはずはありません。
　　　2．たいせつなパーティーだから，欠席するはずはありません。
　　　3．5時に電話をくれるはずでしたが，どうしたんでしょうか。
　　　4．もっとたくさん売れるはずでしたが，雨が降ってだめでした。

2．動詞の否定意志形＋と＋思う
　　この形式は，話し手の否定意志か，否定の確信を表しますが，どちらの意味かは，文
　　の主題によって決まります。三人称が主題の時には後者の意味です。

（例）1．ルインさんは行くまいと思います。（＝行かないだろう）

　　　　　　　　2．アリスさんは教えまいと思います。（＝教えないだろう）

　　3．「つもり」

　　　　「つもり」は意志だけではなく，確信を表すこともあります。これは，話し手が自分の
　　　状態について確信している時や，第三者が自分の状態について確信していると推量す
　　　る時に使います。後者の場合，「つもり」の後ろに「ようだ」や「らしい」が続きます。

　　　　（例）1．まだまだわかいつもりです。
　　　　　　　2．よくわかっているつもりです。
　　　　　　　3．アリスさんはどこにも行かないつもりのようです。
　　　　　　　4．よく勉強しているつもりのようです。

第　11　課

Ⅰ．時の表現

　A．「前」「後」「うち」「間」「時」のような名詞は，節に修飾され，その後ろに助詞が続きま
　　す。つまり，
　　　　　　　　［節1＋時の名詞＋助詞，節2］
　　のように表すことができます。

　B．用法

　　1．［節1＋前に，節2］
　　　　節2で述べる事柄が最初に生起し，その後で節1の事柄が継起します。節1の動詞は
　　　いつも未完了形です。

　　　　（例）1．薬を飲む前に何か食べてください。
　　　　　　　2．日本へ来る前に，日本の文化について少し勉強してきました。
　　　　　　　3．会議が始まる前に，コピーしてきてください。

　　2．［節1＋前は，節2］
　　　　ここでは，節2は，節1で述べる事柄以前の状態や状況を説明しています。

　　　　（例）1．日本に来る前は，日本について何も知りませんでした。
　　　　　　　2．授業が始まる前は，とてもひまでした。
　　　　　　　3．電話をする前は，どきどきしていました。

3．［節1＋時間の数量詞＋前に，節2］

節1の事柄と節2の事柄の時間的違いを示したい時に使います。

（例）1．試験が始まる30分前に，急におなかがいたくなりました。

2．出発する1日前に，電話がかかってきました。

3．ここへ来る1年前に，自動車の運転を始めたんです。

4．［節1（動詞の否定形）＋うちに，節2］

この文型は，「前に」とよく似ています。しかしながら，「うちに」のほうは，節2で述べる行為をしなければ，なにか不都合なことが生じる場合に使われます。例えば，「わすれないうちに，電話番号を書いた」という文は，電話番号を忘れたら困るという気持ちが含まれています。

（例）1．暗くならないうちに帰りたいと思います。

2．しかられないうちにやめたほうがいいですよ。

3．悪くならないうちに病院に行けばよかったのに。

5．［節1（動詞の肯定形）＋うちに，節2］

使い方はB-4と同じです。違いは動詞の形です。「暗くならないうちに」という言い方は，「明るいうちに」と同じことです。

（例）1．つめたいうちに飲んでください。

2．元気なうちにこの仕事をやってしまわなければなりません。

また「うちに」は，節1の事柄が継続している時に，節2の事柄が実現するという意味でも使います。

（例）1．毎日練習しているうちに，きっと上手になるでしょう。

2．デートしているうちに，だんだん好きになってきました。

6．［節1＋間に，節2］

「間に」の意味は「うちに」と似ています。「うちに」は節1の動作・状態の継続に重点を置いていますが，「間に」は節1の動作・状態の，始めから終わりまでの範囲に重点を置いた言い方です。

（例）1．家をるすにしている間に，どろぼうに入られました。

2．だれもいない間に，ゆっくり本を読みます。

3．ちょっと待っていてください。その間に作りますから。

7．[節1（動詞の完了形）＋後で，節2]
　　節1で述べることが最初に生起し，節2の事柄が継起します。

　　（例）1．電話した後で，会いに行きました。
　　　　　2．会議が終わった後で，いつも喫茶店に行きます。
　　　　　3．あした授業が終わった後で，お電話いたします。

8．[節1（動詞の「-て形」）＋から，節2]
　　これは「後で」とよく似ています。「後で」は，事実を客観的に述べるのに使いますが，「-てから」は主観的な表現です。話し言葉では「-てから」を多く使います。また，「-てから」は節1の事柄の直後に節2が生起する場合に使います。

　　（例）1．この箱は，家へ帰ってからあけてください。
　　　　　2．こどもが寝てから帰りましょう。

　　「時の数量詞＋になる」という節2は，「-てから」の後ろには使えますが，「あとで」の後ろには使えません。

　　（例）1．日本に来てから5年になります。
　　　　　2．A： 日本語の勉強を始めてからどのくらいになりますか。
　　　　　　 B： そうですね。もう8年ですね。

9．[節1＋時（に），節2]
　　節1は，節2の事柄が生起する時間的条件を示します。

　　（例）1．ごはんを食べている時に，ルインさんが来ました。
　　　　　2．こんどひまな時に，いっしょに映画を見に行きましょう。
　　　　　3．この時計は，大学を出た時に，父にもらったものです。

　　節1と節2に使う動詞の形に注意してください。節1の行為が節2の行為より早く始まることを示す時には，節1には動詞の未完了形を使います。節1の行為が節2の行為より早く始めることを示す時には，節1には動詞の完了形を使います。次の例を見てください。

　　（例）1．a．家に帰る時にコートを着ます。（会社・学校などで着る）
　　　　　　 b．家に帰った時にコートを着ます。（家で着る）
　　　　　2．a．東京に行く時に電話します。（東京以外の所で電話する）
　　　　　　 b．東京に行った時に電話します。（東京で電話する）

「時に」と「-たら」はよく似ているようにみえますが，実際は違います。「時に」は，「3時に」や「水曜日に」と同じように，はっきりした時間を表しますが，「-たら」は，節1と節2の二つの事柄の生起条件や偶然的関係を示します。「-たら」の詳しい説明は，『現代日本語コース中級I』の第9課の文法にあります。

（例）1．a．いそがしかったら，あとで電話してください。
　　　　　b．いそがしい時に，また電話がかかってきました。
　　　2．a．生協に行ったら，本を安く売っていました。
　　　　　b．生協に行った時に，本を安く売っていました。（誤り）

II．「は」の用法

A．位置
「は」は，次のように，文中の七つの位置で使います。

1．「名詞＋格助詞」の後ろ（「が」「を」は省略する）

（例）1．今日はルインさんの誕生日です。
　　　2．ジュースは飲みましたが，ビールは飲みませんでした。
　　　3．電話は，中村さんからはありましたが，山田さんからはまだです。

2．副詞（副詞相当語）の後ろ

（例）1．東京はいま3時です。
　　　2．あしたはどこにも行かないで，家におります。
　　　3．ゆっくりは話せますが，はやくは話せません。

3．数量詞の後ろ － ここでは「少なくても」という意味を付加します。

（例）1．東京まで3時間はかかると思いますよ。
　　　2．A：漢字を1日にいくつぐらいおぼえられますか。
　　　　　B：そうですね。十ぐらいはおぼえられるでしょうね。

4．動詞の連用形（「-ます形」から「-ます」を取った形）の後ろ

（例）1．A：あした来ますか
　　　　　B：ええ。でも，来はしますが，仕事はしないつもりです。
　　　2．A：へんなものを食べたんじゃありませんか。
　　　　　B：へんなものなんて食べはしませんよ。

5．－い形容詞の「－く形」の後ろ

（例）1．A： 試験，どうでした。
B： そうですね。むずかしくはなかったんですが，数が多くて。
2．A： 銀行の横のレストラン，どうですか。
B： 安くはないんですが，味はいいですよ。

6．「名詞／－な形容詞＋で」の後ろ

（例）1．A： あたらしいアパートはどうですか。
B： 静かではあるんですが，遠くて，ちょっと……。
2．A： ルインさんの専攻は数学ですか。
B： いえ，数学ではなくて経済です。

7．四つの述語の「－て形」の後ろ － 条件を示し，結果がよくない時に使います。

（例）1．たばこばかり吸っていては，体をこわしますよ。
2．英語ばかり話しては，日本語は上手になりませんよ。
3．こんなにむずかしくては，だれもできません。
4．こんなにむずかしい問題では，みんな0点ですよ。

B．意味と使い方

1．文の主題を表します。

（例）1．A： 今週のニューズウィークをお持ちですか。
B： すみません。今週のはルインさんに貸してしまいました。
2．むかし小さな町に王様が住んでいました。王様は毎日何もすることがありませんでした。ある日王様は……。

2．二つの事柄の対照・比較を表します。

（例）1．今日は行きませんが，明日は行きます。
2．その話は聞きはしましたが，今はおぼえていません。
3．A： 行きましたか。
B： ええ。行ってはみましたが，つまらないものばかりでした。

3．「は」は否定文の中でよく使いますが，次に示すように，「は」の直前の要素が否定されます。

　　　　a）昨日は図書館に行きませんでした。
　　　　b）昨日図書館には行きませんでした。

　　上のa）では，「は」は「昨日」を否定しています。b）では，「は」は「図書館」を
　否定しています。つまり，b）では，「図書館には行かなかったが，他の所には行った
　かもしれない」ということです。

4．「は」は否定を強調する時にも使います。位置は動詞の連用形の後ろで，会話に多く
　　見られます。次の形をおぼえてください。

買う	－	買い	－	買いは	→	買や
書く	－	書き	－	書きは	→	書きゃ
話す	－	話し	－	話しは	→	話しゃ
待つ	－	待ち	－	待ちは	→	待ちゃ
死ぬ	－	死に	－	死には	→	死にゃ
飲む	－	飲み	－	飲みは	→	飲みゃ
ふる	－	ふり	－	ふりは	→	ふりゃ
ぬぐ	－	ぬぎ	－	ぬぎは	→	ぬぎゃ
とぶ	－	とび	－	とびは	→	とびゃ

　　（例）1．こんなに寒いのに，遠くに行きゃしませんよ。
　　　　　2．アルコールなんか飲みゃしませんよ。

第　12　課

Ⅰ．推量の表現　「-そうだ」「ようだ/みたいだ」「らしい」

A．「-そうだ」の用法
　　「-そうだ」は，話し手が見たり感じたりしたことに基づいた推量で，物事の現在の状態
　やこれから起こるかもしれないことについて推量します。

　　（例）1．山田さんは，今日は忙しそうです。
　　　　　2．このみかんはおいしそうです。
　　　　　3．今日は雨が降りそうです。

B．「ようだ」の用法

1．「ようだ」は，話し手が，見たり感じたりしたことと，話し手自身が持つ確かな知識・

情報とを比較・推理することにより推量する時に使います。

(例) 1．山田さんは今日は忙しいようです。
　　　2．小さいみかんのほうがおいしいようです。
　　　3．今日は雨が降るようです。

2．「ようだ」は，また，あるもの（甲）が別のもの（乙）に非常に近似している時にも使います。「まるで」という副詞を一緒に使うこともあります。

(例) 1．あの人はまるで日本人のようです。
　　　2．あの人はまるで日本人のような顔です。
　　　3．あの人はまるで日本人のように日本語を話します。

3．「みたいだ」は「ようだ」の口語的な表現です。会話の中で多く使います。

(例) 1．山田さん，今日は忙しいみたいだ。
　　　2．あの人はまるで日本人みたいだ。

C．「らしい」の用法

1．「らしい」は，話し手が聞いたり読んだりしたことに基づいた推量を表します。

(例) 1．山田さんは，今日は忙しいらしいです。
　　　2．小さいみかんのほうがおいしいらしいです。
　　　3．今日は雨が降るらしいです。

2．「らしい」には，また，「典型的だ」という意味があります。つまり，「甲は乙らしい」と言う時，甲は乙の典型である，という意味になります。

(例) 1．ルインさんは男らしいです。
　　　2．ルインさんは男らしい人です。
　　　3．ルインさんは男らしく，責任を取りました。

[注]「ルインさんは男らしいです」という文は曖昧です。つまり，二つの意味があります。文脈や聞き手の知識によって意味が決まります。
　　　次の二つの文を見てください。

　　　　a）ルインさんは男らしくありません。
　　　　b）ルインさんは男じゃないらしいです。

　　　　 a）も b）もそれぞれ文の意味は一つです。a は上の2の意味，b は上の1の
　　　　意味です。

　3．「‐そうだ」「ようだ」「らしい」を比較すると次のようになります。
　　　　「‐そうだ」というのは直観的な推量で，かなり主観的だと言えます。「ようだ」は主観
　　　的な推量ですが，推理過程を経ている点が，「‐そうだ」と違います。ですから，「よう
　　　だ」を使った推量では，話し手は責任が大きいと言えます。一方，「らしい」は，テレ
　　　ビとか雑誌とかの外からの情報に基づいた推量であり，その意味で客観的です。「らし
　　　い」を使った推量は，ですから，「ようだ」に比べると，責任が小さいと言えます。

III．逆接の表現　「のに」「けれども」「‐ても」

A．「のに」で終わる節は従属節で，「のに」に続く節は主節です。主節では，予期しない事
　　実を表現します。言いかえれば，従属節の内容から当然導き出せる結論とは逆の事実を
　　主節で表現します。また，「意外だ」「不満だ」という気持ちが含まれます。

　　　（例）1．時間なのに，まだ来ませんね。
　　　　　　2．高いのに，あまりよくありませんね。
　　　　　　3．日本人なのに，英語がとても上手です。
　　　　　　4．まだ早いのに，もう帰るんですか。

B．けれども
　　　「けれども」の前の節と後の節では，相反する事実関係を表現します。話し手の気持ち
　　は，特に含まれません。「けれども」は会話の中で「けれど」「けど」と変わることが多
　　くあります。また，「けれども」は「が」と同じ意味で使います。

　　　（例）1．調子はよくありませんけれども，やってみます。
　　　　　　2．二日間だったけれど，あなたに会えてうれしかったわ。
　　　　　　3．授業はきびしいけれども，とても楽しいと思います。

C．‐ても
　　　これは，四つの述語の「‐て形」に助詞「も」が付いたもので，逆接条件を示します。逆
　　接条件には2種類あります。未定と確定です。

　1．未定逆接条件

　　　（例）1．明日は，降っても行くつもりです。
　　　　　　2．高くても買おうと思います。
　　　　　　3．どこへ行ってもこんでいるかもしれませんから，やめましょう。

4．だれに聞いても同じことを言いそうな気がします。

5．難しくても最後までがんばろうと思います。

2．確定逆接条件

（例）1．近くても遅れて来る人はいるものですね。

2．年はとってもまだまだ若いですよ。

3．手紙を出しても返事が来ない，というのはどういうことでしょう。

［注］「のに」と「けれども」を比較すると，次のようになります。

1．a．日本人であるのに英語を話すことができます。

b．日本人であるけれども英語を話すことができます。

aは話し手の驚きを表します。bは事実を述べただけです。

2．a．電車があったのにバスで行った。

b．電車があったけれどもバスで行った。

aでは，便利な電車に乗らずバスで行ったことに意外な気持ちを持っています。
bではそういうことはありません。

第 13 課

Ⅰ．可能文

可能文には2種類あります。一つは動詞の可能形を使うもので，もう一つは，動詞の辞書形に「ことができる」のついたものです。

A．動詞の可能形を使う可能文

動詞の可能形を作るには，第1群動詞では「-る」を「-られる」に変えます。第2群動詞では，辞書形の語末を，その「え段」の音に変え，その後「る」を付けます。つまり，「話す」なら，「す」→「せ」のようにして，それから「る」を付けます。すると「話せる」が得られます。次の表を勉強してください。

	辞書形	可能形
第1群動詞	見る 変える	見られる 変えられる
第2群動詞	使う 返す 帰る 死ぬ	使える 返せる 帰れる 死ねる
不規則動詞	来る する	こられる できる

可能文は次のようにして作ります。

もとの文	可能文
Xが　動詞（自動詞） Xが　Yを　動詞（他動詞）	Xが　動詞の可能形 Xに　Yが　動詞の可能形 Xが　Yが　動詞の可能形

（例）1．この本はだれにでも読めると思います。

2．私にはこの問題がとけません。

3．ルインさんは，歯が痛くて寝られなかったようです。

4．英語は3年も使っていないから，話せなくなっています。

5．以上の結果から次のようなことが言えます。

B．「節＋ことができる」の可能文

これは，動詞の辞書形の後ろに「ことができる」をつければ，得られます。

（例）1．この本棚にある本はだれでも借りることができます。

2．本田さんはピアノをひくことができます。

3．明日はいそがしくてうかがうことができません。

4．この魚は食べることができません。

［注］　Aの可能文とBの可能文の違いは文体の違いであると言えます。つまり，Bの可能文はAの可能文よりあらたまった談話で使います。

II．義務の表現

A．「-なければならない」「-なくてはならない」

1．動詞

辞書形	-なければならない	-なくてはならない
食べる	食べなければならない	食べなくてはならない
起きる	起きなければならない	起きなくてはならない
買う	買わなければならない	買わなくてはならない
待つ	待たなければならない	待たなくてはならない
ある	なければならない	なくてはならない
来る	こなければならない	こなくてはならない
する	しなければならない	しなくてはならない

（例）1．明日は5時に起きなければなりません。
2．もう帰らなくてはなりません。
3．3時までに電話しなくてはならないだろうと思います。
4．ことばの勉強には辞書がなければなりません。

2．-い形容詞

辞書形	-なければならない	-なくてはならない
やすい	やすくなければならない	やすくなくてはならない
明るい	明るくなければならない	明るくなくてはならない
いい	よくなければならない	よくなくてはならない

（例）1．だれにでもやさしくなければなりません。
2．部屋は明るくなくてはなりません。

3. -な形容詞・名詞 ＋「だ」

辞書形＋だ	-なければならない	-なくてはならない
元気だ 静かだ 女性だ	元気でなければならない 静かでなければならない 女性でなければならない	元気でなくてはならない 静かでなくてはならない 女性でなくてはならない

（例）1．からだが丈夫でなければなりません。
2．この部屋が使えるのは女性でなくてはならないはずです。

[注1]　「-なくてはならない」は「-なくてはいけない」と言うこともできます。二つを比べると，「いけない」のほうが主観的な言い方です。
[注2]　会話の中では，「-なければ」は「-なけりゃ」「-なきゃ」に，「-なくては」は「-なくちゃ」に変わることが多いようです。

B.「べき」を使った表現
　「べきだ」という表現は，Aの「-なければならない」「-なくてはならない」と比べると，「そうするのが当然だ」という気持ちを強く表しています。「べき」の前には，非丁寧形で終わる節が来ます。

（例）1．病気なんですから，休むべきです。
2．A：　友達の車，こわしちゃったんですが，どうすれば……
　　B：　友達にちゃんと話すべきですよ。

「節＋べき」は名詞を修飾することができます。
　　　　本を読む　　　　　　　→　　読むべき本
　　　　学生が本を読む　　　　→　　学生が読むべき本
　　　　（ある）ことを今日する　→　　今日するべきこと

（例）1．ルインさんには，学ぶべきところが多いですね。
2．この町には見るべきものがあまりありませんね。

「べきだった」は過去の義務を表します。

（例）1．もっと勉強するべきでした。
2．前にもっとよく説明しておくべきでした。

　　　　［注］「するべき」は「すべき」となることが多いようです。

Ⅲ．確からしさの表現

A．「だろう/でしょう」
　　これは四つの述語の後で，次のように使います。

行くだろう	行かないだろう	行っただろう	行かなかっただろう
いいだろう	よくないだろう	よかっただろう	よくなかっただろう
元気だろう	元気じゃないだろう	元気だっただろう	元気じゃなかっただろう
学生だろう	学生じゃないだろう	学生だっただろう	学生じゃなかっただろう

　　（例）1．もうすぐ来るでしょう。
　　　　　2．今はまだ高いでしょうから，もう少し後で買いましょう。
　　　　　3．アリスさんの書いた論文はもう少し複雑でしょう。
　　　　　4．たしか，東京の人でしょう。

　　［注］「だろう/でしょう」には他の用法もあります。
　　　　　1．同意を求める時に使います。上昇イントネーションで発音する。
　　　　　　　A：　もう行ってもいいでしょう。
　　　　　　　B：　ええ，どうぞ。
　　　　　2．話し手が自分のことを自慢する時に使います。下降イントネーション。
　　　　　　　A：　この時計，いいでしょう。
　　　　　　　B：　どうしたんですか。
　　　　　3．発話を柔らかくしたい時に使います。
　　　　　　　A：　あの，山田さまでしょうか。
　　　　　　　B：　はい，山田ですが。

B．「かもしれない/かもしれません」
　　これも，四つの述語の後ろで「だろう」と同じように使います。

　　（例）1．雨が降るかもしれません。
　　　　　2．天気が悪いかもしれません。
　　　　　3．雨かもしれません。
　　　　　4．雨が降ったかもしれません。
　　　　　5．天気が悪かったかもしれません。
　　　　　6．雨だったかもしれません。

　　「かもしれない」は「たぶんそうですが，あまり自信がありません」という場合に使いま

す。くだけた会話では,「かもね」と言うことがあります。

　　（例）Ａ：　あの学生，よく勉強したんだろうね。
　　　　　Ｂ：　（そう）かもね。

Ｃ．「-にちがいない/ちがいありません」
　　これも，四つの述語の後ろで「だろう」と同じように使います。「-にちがいない」は，
　話し手の考える確からしさが高い時に使います。

　　（例）１．高いものを買うにちがいありません。
　　　　　２．外で遊んでいるにちがいありません。
　　　　　３．お酒を飲んだにちがいないと思います。
　　　　　４．あしたの試験はむずかしいにちがいありません。
　　　　　５．あれは外国の自動車にちがいありません。
　　　　　６．病気だったにちがいありません。

第　14　課

Ⅰ．「もの」の用法

「節＋もの」は話し手の心的態度を表します。「もの」は会話の中で「もん」となることがあります。
次のような七つの使い方があります。

１．そうなるのが自然だ，当然だ，という気持ち

　　（例）１．人は死ぬものです。
　　　　　２．世の中とはそんなもんですよ。

２．信念，間接的な要求

　　（例）１．学生は勉強するものです。
　　　　　２．子供は早く寝るもんです。

３．過去の回想

　　（例）１．学生時代にはよくこの公園を歩いたものです。
　　　　　２．あの頃はよくジャズを聞いたもんでした。

４．感嘆，賞賛

　（例）１．よくそんなことができたものですね。
　　　　２．一人で世界一周したなんてすごいもんですね。

５．個人的な理由，言い訳

　（例）１．Ａ：　そんなにピーナツ食べちゃだめだよ。
　　　　　　Ｂ：　だって，好きなんだもん。
　　　　２．Ａ：　勉強しないの。
　　　　　　Ｂ：　今日はしなくていいんだもん。

II．「わけ」の用法

「わけ」のもともとの意味は「意味，理屈，理由」です。次の例のように使います。

　（例）１．わけがわからない言葉は使うことができません。
　　　　２．それはどういうわけですか。
　　　　３．失敗したのには深いわけがあります。

「節＋わけ」は，話し手の論理的な推論の帰結を示す時に使います。次の会話を見てください。

　　　　Ｘ：　Ｙさんはピアノが上手ですね。
　　　　Ｚ：　ええ。３才の時から習っていますからね。
　　　　Ｘ：　ああ，それであんなにじょうずなわけですね。

上の会話でＸはＹのピアノに感心しています。ＸはＺにその理由を聞き，その結果を当然のことであると納得しました。そこで「わけ」を使いました。

　（例）１．Ａ：　なんかいやに暑いですね。
　　　　　　Ｂ：　ああ，窓が閉まってますよ。
　　　　　　Ａ：　なんだ。それじゃ暑いわけだ。
　　　　２．Ａ：　おかしいなあ。画面が出ない。
　　　　　　Ｂ：　ちょっと待って。あっ，スイッチが入っていないよ。
　　　　　　Ａ：　じゃあ，映らないわけだ。
　　　　３．ルインさんが来た。調子が悪いらしい。よく聞いてみると，朝ごはんは食べないし，昼と夜はラーメンを食べているだけだという。これでは，体を悪くするわけだ。

「わけだ」の否定形は「わけじゃない」です。これは「わけだ」の逆で，結論を否定する時に使います。

  （例）１．Ａ： この本は漢字が多いですね。
      Ｂ： でもむずかしいわけではありませんよ。
     ２．Ａ： いつ電話してもいませんね。
      Ｂ： でも，遊んでいるわけじゃありませんよ。

「わけにはいかない」というのは，個人的な理由とか社会的通念の上からある行動をとることが許されない時に使います。「わけにはいかない」の前には動詞の肯定形が来ます。

  （例）１．あした試験があるから，遊ぶわけにはいきません。
     ２．ここは図書館だから，タバコを吸うわけにはいきません。

「わけにはいかない」の前に動詞の否定形が来ると，義務を表します。

  （例）１．あしたは試験があるから，勉強しないわけにはいきません。
     ２．もう約束したから，行かないわけにはいきません。

Ⅲ．「ところ」の用法

Ａ．「ところ」は「場所」のことですが，節に修飾されると，「時間」を表すようになります。

 １．［動詞の辞書形＋ところ］－ 今から何かを実行する局面

  （例）今からでかけるところです。

 ２．［動詞の完了（過去）形＋ところ］－ 今行為が完了した状況

  （例）今勉強が終わったところです。

 ３．［動詞の－て形＋いる＋ところ］－ 今行為が継続している状況

  （例）今お風呂に入っているところです。

B．「節＋ところ」は文の要素の一つに使うことがあります。

1．対象

（例）1．タバコをすっているところをほかの人に見られました。
2．私達がよく勉強しているところを見ていてください。

2．状況

（例）1．部屋に入ったところへ電話がかかってきました。
2．みんなで話し合っているところにルインさんがやってきました。

3．時間

（例）1．みんなが集まったところで乾杯をしましょう。
2．ゼミが終わったところでお茶の時間にしましょう。

4．情報の出所

（例）1．わたしが聞いたところでは，明日は休講だということです。
2．わたしが見たところでは，2年でこわれるでしょう。

C．「節＋ところ」が技能・能力の程度を表すことがあります。

（例）1．A： スペイン語を勉強したそうですね。
B： ええ。でも，ぺらぺら話せるところまではいきませんでした。
2．A： ピアノ，上手になりましたね。
B： そうですか。でも，人の前でひくところまではいっていません。
3．A： コンピューターの勉強を始めたんですか。
B： ええ。はやく一人でプログラムが作れるところまでいきたいですね。

IV．「こと」の用法

1．［未完了（現在形）＋ことがある］－ 現在の行為・状態の頻度

（例）1．ときどきわからないことがありますが，まあ大丈夫です。
2．A： 新聞はよく読みますか。
B：そうですね。読むこともありますが，あまり……。
3．行きたいと思うこともありますが，行かなくても，まあ……。

2．［完了＋ことがある］－ 過去の経験

（例）1．日本とアメリカの関係について前に考えたことがあります。
2．アリスさんは野球をしたことがあるそうです。
3．わからなくて大変だったこともあります。

3．［動詞の辞書形＋ことができる］－ 第13課参照

4．［動詞の辞書形＋ことはない］－ 忠告という文脈の中で「必要」を表す

（例）1．そんなに急ぐことはありません。
2．気にすることはありません。
3．そんなに考えることはありませんよ。すぐやってみたらどうですか。

5．［動詞の未完了形＋ことにする］－ 決定
　　［動詞の未完了形＋ことになる］－ 決定の報告

（例）1．よく考えて，結局行くことにしました。
2．からだに悪いからタバコは吸わないことにしました。
3．来春結婚することになりました。

6．［動詞の完了形＋ことにする］－ 非実現を実現と仮定する使い方

（例）1．（本当は電話しなかったが）電話したことにしておいてください。
2．（本当は聞いたが）聞かなかったことにしておきましょう。

第 15 課

Ⅰ．「目的」の表現

A．「ために」の用法
「節1（動詞の辞書形）＋ために，節2」の形で使います。節1と節2の主語は同じです。

（例）1．いろいろなことを知るために外国へ行くんです。
2．車を買うために，ずっとお金をためてきました。
3．日本語を勉強するために，日本に来たんです。

「動詞の可能形＋ようになる」も「ために」の前で使えます。

（例）1．日本語がもっと話せるようになるためには，日本人の友達を作るのが一番いいです。

2．コンピューターを使いこなせるようになるためには，5年はがんばらないとだめですね。

3．はやく一人で歩けるようになるために，病院でがんばっています。

「ため」は上のように目的を表す場合と，理由を表す場合があります。どちらの意味かは，文脈によります。

（例）1．やせるために，毎朝ジョギングをしています。

2．ふとっているために，甘いものは食べないようにしています。

B．「ように」の用法

「節1（未完了形）＋ように，節2」の形で使います。節1では，自動詞，動詞の否定形，可能形を使うことが多いようです。

（例）1．授業に間に合うように，走って行ったんです。

2．忘れないようにノートに書いておきましょう。

3．みんなに聞こえるように，大きな声で話しました。

C．「に」の用法

「に」の前には，動詞の連用形（「-ます形」から「-ます」を取る），名詞，節＋の，が現れます。

1．動詞の連用形＋に － 主動詞は「行く」「来る」「帰る」など

（例）1．本を買いに行きました。

2．ルインさんに会いに来ました。

「漢語＋する」が「に」の前に現れる場合，「漢語＋し＋に」または，「漢語＋に」になります。また，ニュースなどのような，書き言葉をもとにした談話では，「に」の代わりに「ために」を使います。

（例）1．現代文学を研究するために，来日されたようです。

2．国際問題について話し合うために，世界各国の代表者が京都に集まりました。

2．名詞＋に － ［名詞1が＋名詞2に＋述部］の形で使います。述部は「必要だ，いい，適当だ，役にたつ，かかる」などです。

　（例）1．この薬は頭痛にとてもいいんです。

　　　　2．この本は経済学の研究に役にたつと思います。

　　　　3．旅行にはたくさんのお金がかかるかもしれません。

　3．節＋に － 2と同じように使います。

　（例）1．このコップは，ビールを飲むのにちょうどいいです。

　　　　2．静かな音楽は，人の心をリラックスさせるのに役にたちます。

　　　　3．全部やってしまうのには，まだだいぶ時間がかかるようです。

　　　　4．友達になるのにことばは必要ではありません。

II．伝達の表現　「～そうだ」「～と言っていた」「～って」

だれかから聞いた話を他の人に伝達する時には次のような文型を使います。

　　　A．［メッセージ］そうだ/そうです

　　　B．［メッセージ］と言っていた/と言っていました

　　　C．［メッセージ］って

　（例）1．明日は雨だそうです。

　　　　2．明日は雨だと言っていました。

　　　　3．夏はとても暑いそうです。

　　　　4．夏はとても暑いと言っていました。

　　　　5．どこかへ行くんだって。

　　　　6．もう国に帰るんですって。

上の三つの表現は，厳密に言えば，少し違いがあります。例えば，メッセージが「もう一度電話します」の場合，AとBを使うと次のようになります。

　　　A．もう一度電話してくれるそうです。

　　　B．もう一度電話すると言っていました。

　　　B′．もう一度電話してくれると言っていました。

つまり，「～そうです」と「～と言っていました」を比べると，前者のほうが間接引用の度合が強いと言えそうです。直接引用では，メッセージの形を変える必要はありませんが，間接引用では，発話状況を考えて，メッセージの形式を変える必要が出てきます。

方略	メッセージ	メッセージの伝え方
丁寧さ	勉強します	勉強するそうです 勉強すると言っていました 勉強しますと言っていました
方向	そちらへ行きます	こちらに来るそうです こちらに来ると言っていました そちらへ行くと言っていました
時間	明日調べます*	今日調べるそうです 今日調べると言っていました 明日調べると言っていました
	*話し手はメッセージを昨日受け取り，今日伝える。	
授受	お金をあげます	お金をくれるそうです お金をくれると言っていました お金をあげると言っていました

第 16 課

Ⅰ．受動文

A．受動文は必ず動詞の受動形で終わります。次は動詞の受動形の作り方です。

辞書形	否定形	受動形
食べる	食べない	食べられる
教える	教えない	教えられる
見る	見ない	見られる
買う	買わない	買われる
書く	書かない	書かれる
話す	話さない	話される
待つ	待たない	待たれる
来る	こない	こられる
する	しない	される

B．直接受動文
　他動詞文は変形によって直接受動文を作ることができる。

　　　　ａ．［名詞1が　名詞2を　動詞］　→　ｂ．［名詞2が　動詞の受動形］

（例）１．ａ．（だれかが）友達をなぐりました。
　　　　　　ｂ．友達がなぐられました。
　　　２．ａ．（人が）いい絵を見ます。
　　　　　　ｂ．いい絵が見られます。
　　　３．ａ．（ある人が）1872年にこの小説を書きました。
　　　　　　ｂ．この小説は1872年に書かれました。

　受動文の行為者は，「に」「によって」「から」のどれかによって表される。次のように使いわけます。

１．会話では多く「に」を使います。また，「言う」「質問する」「しかる」「笑う」のような動詞を用いた受動文では，「に」が行為者を表示します。

　（例）１．ルインさんに，あす来るように言われました。
　　　　２．宿題を忘れて，先生にしかられました。

２．あらたまった談話，書き言葉では「によって」が行為者を表示します。

　（例）１．電話はベルによって発明されました。
　　　　２．アメリカはコロンブスによって発見されました。

３．物，感情などのやり取りを意味する動詞の受動文では，「から」が行為者を表示します。

　（例）１．この手紙は，中村さんから送られてきました。
　　　　２．そのラジオはナショナルから発売されました。

Ｃ．間接受動文
　間接受動文は次の二つの点で直接受動文と異なっています。
　　1)　自動詞文にも対応する間接受動文があります。
　　2)　能動文の目的語は間接受動文でも目的語として残ります。
　間接受動文の作り方は次の通りです。
　　　［Nが　自動詞］　　　　　　→　　［Nに　自動詞の受動形］
　　　［N1が　N2を　他動詞］　→　　［N1に　N2を　他動詞の受動形］

　（例）１．いそがしい時に友達に来られて，困ってしまいました。
　　　　２．かわいがっていた犬に死なれて，とてもつらかったです。
　　　　３．ハイヒールをはいた女の人に足をふまれたんです。

４．きのう知らない人にカバンを持っていかれた夢を見ました。

間接受動文は，当事者にとってあまり好ましくないと判断される出来事を述べる時に使います。当事者を明記する時には，助詞「が」または「は」を伴って，文頭で使います。

（例）１．ルインさんは中村さんに文句を言われました。
　　　２．アリスさんは知らない人にカバンを持っていかれそうになりました。

II．「だけ」の用法

「だけ」は，名詞，－な形容詞，－い形容詞，動詞の後ろに現れ，次のように使います。
　　　１．図書館だけ
　　　２．図書館でだけ
　　　３．しずかなだけ
　　　４．ひまだっただけ
　　　５．高いだけ
　　　６．おいしくないだけ
　　　７．話すだけ
　　　８．話しただけ
第1に「だけ」は事柄を限定する時に使います。

（例）１．昨日は漢字だけ勉強しました。
　　　２．ルインさんとだけ話しました。
　　　３．ここだけの話ですが，アリスさん，結婚するそうですよ。
　　　４．あのレストランは高いだけで，ぜんぜんおいしくありません。
　　　５．１分遅れただけで，こんなに叱られるなんて……。

第2に「だけ」は「事柄・身分に相応だ」という意味で使います。

（例）１．この芝居は高いだけのことはあります。
　　　２．ルインさんは若いだけのことはあって，遅くまでがんばります。
　　　３．あの人は学者だけあって，何でもよく知っています。

第3に「だけ」は程度を表します。指示詞に修飾されることがあります。

（例）１．たくさんありますから，好きなだけ飲んでください。
　　　２．できるだけ長い間ここにいてください。
　　　３．食べられるだけのお金がもらえれば，それで十分です。
　　　４．これだけ勉強したのに，まだわからないんです。

Ⅲ．動詞の意志形の用法

A．意志形
第10課のⅡを参照。

B．意味

1．話し手の意志を表します。

（例）1．今日は疲れているようだから，かわりに私がやろう。
2．ぼくが先生に聞いてみようか。
3．来週調べようと思います。

2．勧誘を表します。

（例）1．A： そろそろ出よう。
B： うん。そうしよう。
2．A： もう帰ろうか。
B： そうね。そうしようか。

3．「とする」を伴い，「すぐに何かを始める」「すぐに何かが始まる」ということを表します。

（例）1．外へ行こうとした時に電話がかかってきました。
2．お金を出そうとしたら，突然ベルが鳴ったんです。
3．日が暮れようとしています。

「意志形＋とする」はまた，話し手の努力を表します。

（例）1．飲もうとしましたが，飲めませんでした。
2．一人で行ってみようとしたんですが，どうしてもだめでした。
3．いくら起こしても，起きようとしないんです。

第 17 課

Ⅰ．名詞修飾節（2）

名詞修飾節には2つの型があり，そのうちの1つについてはすでに『現代日本語コース中級

Ⅰ』の第9課で説明しました。次の例は第2の型の典型的なものです。

　　　だれかがピアノをひいている音が聞こえた。

例文の下線部は修飾する節（修飾節）と修飾される名詞（被修飾名詞）との2つの部分から
なっています。
　　　修飾節　　　：だれかがピアノをひいている
　　　被修飾名詞：音
修飾節は，音がどんな音なのか，の説明をしていると考えられますが，“だれかがピアノをひ
いている”と“音”との間には文法的な関係は何もありませんというのは，名詞“音”は節
の要素ではないからです。
それでは次に，節がどのように名詞を修飾し，名詞とどのような意味的関係を持っているの
かを説明します。

(1)　下に被修飾名詞のいくつかとそれらを使った例をあげます。これらの例からわかること
　　は節が名詞について詳しい説明をしていることです。

　　　考え，ニュース，話，心配，可能性，仕事

　　（例）1．自分だけを大事にする考えは，よくないでしょう。
　　　　　2．銀行でお金を取られたニュースをテレビで見ました。
　　　　　3．外国人がガイジンと言われている話はよく聞きます。
　　　　　4．これで，試験をうける心配がなくなりました。
　　　　　5．台風がこの町を通る可能性はほとんどなくなりました。
　　　　　6．中村さんは今，お金を貸す仕事をしています。

ふつう，被修飾名詞が思考やニュースなどに関係がある場合には“という”がその被修
飾名詞の前に置かれます。

　　（例）1．自分だけを大事にするという考えは，よくないでしょう。
　　　　　2．銀行でお金を取られたというニュースをテレビで見ました。

(2)　次の例では感覚や知覚を表わす名詞の，その感覚や知覚の内容を節が示しています。

　　　音，におい，味，感じ，絵，写真，色

　　（例）1．自動車の通る音が聞こえます。
　　　　　2．魚のやけるにおいがします。
　　　　　3．だれかにきらわれているような感じがします。

(3) 次にあげるのは節が過程や原因を示し，その結果が名詞で示される例です。

　　　結果，おつり，残り

　　　（例）１．辞書や本で調べた結果をノートに書いておきました。
　　　　　　２．がんばって勉強した結果を見ていてください。
　　　　　　３．たばこを買ったおつりがあります。
　　　　　　４．わたしが食べた残りを犬にやりました。

II. 接続詞　「そして」「それから」「それに」「それで」

A.「そして」は，同じ一つの話題の中である事柄にもう一つの事柄を並べたり，付け加えたりするのに使われます。

　　　（例）１．公園に行きました。そして友達に会いました。
　　　　　　２．A：　何かありましたか。
　　　　　　　　　B：　中村さんから電話がありました。そしてその後で加藤さんがいらっしゃいました。

B.「それから」は，ある一つの事柄が終わって次の事柄がおこる場合や別の事柄を付け加えていくときに使われます。

　　　（例）１．３時ごろ図書館に行きました。それから５時ごろ食堂でごはんを食べました。
　　　　　　２．警官：　先月の23日夜8時ごろ何をしていましたか。
　　　　　　　　　B　：　ええと，23日ですか。あの日は，仕事を終えて，家へ帰ったのが，ええと，7時ごろでした。それからすぐふろにはいりました。ふろから出て，いつものようにビールを飲んで……ああ，友達から電話がありました。それが8時ごろだったと思います。10分ほど話して，それから外に出ました。

　　「それから」は，事柄を一つずつ思いだしていく時にも使われます。

　　　（例）１．A：　学生の時は何を勉強しましたか。
　　　　　　　　　B：　経済学と数学，ええと，それからドイツ語なんかです。
　　　　　　２．A：　きょうは誰がいらっしゃいますか。
　　　　　　　　　B：　村山さん，岡田さん，和田さん，それから平田さんです。

C.「それに」は，前に述べられた事柄にさらにもう一つの事柄を付け加えるのに使われます。

　　　（例）１．Ａ：　すきやきには何を入れますか。
　　　　　　　　　Ｂ：　牛肉，ねぎ，こんにゃく，それにとうふなどですね。
　　　　　　　２．Ａ：　やっぱり会社をやめるんですか。
　　　　　　　　　Ｂ：　ええ。あまり今の仕事がおもしろくないし，それにまわりの人ともう
　　　　　　　　　　　　まくいってないし……

Ｄ．「それで」は，前に述べた事柄の結果・帰結を表わす時に使われます。

　　　（例）１．今使っている辞書は小さすぎて役に立たない。それで新しいのを買った。
　　　　　　　２．土曜日に工場見学にいくことになりました。それでテストは来週になりま
　　　　　　　　　す。

「それで」は，話をしている人にその話を続けるよう促すのにも使われます。この時は昇り調
子で発音されます。

　　　（例）１．Ａ：　きのうルインさんが来てね，一緒に栄に行ったんだ。
　　　　　　　　　Ｂ：　へえ，それで。
　　　　　　　　　Ａ：　うん，喫茶店で５時間も話をしたよ。
　　　　　　　２．Ａ：　あした研究室に行きたいんですが。
　　　　　　　　　Ｂ：　うん，それで。
　　　　　　　　　Ａ：　それで授業を休んでもいいでしょうか。

Ⅲ．「−たり」と「し」

Ａ．「−たり」形は，動詞・形容詞・名詞＋だ，の過去形に「り」をつけて作ります。

辞書形	過去形	−たり形
見る	見た	見たり
買う	買った	買ったり
来る	来た	来たり
する	した	したり
高い	高かった	高かったり
いい	よかった	よかったり
静かだ	静かだった	静かだったり
雨だ	雨だった	雨だったり

　　「−たり」の使われる文型は次の通りです。
　　　　「節　１　＋　−たり，節　２　＋　−たり」

「-たり形」は，いくつかの動作や状況の中から代表的なものを取り上げて述べるのに使われます。

 （例）１．新聞を読んだり，テレビを見たりします。
    ２．信号は赤かったり，青かったりします。

「-たり形」はまた二つの反対の動作や状況を表わすのに使われます。

 （例）１．行ったり来たりしました。
    ２．食べたり食べなかったりするんです。
    ３．高かったり安かったりします。

そしてまた「-たり形」は，例として，たくさんのものの中から一つの行動を取り出すのにも使われます。この場合は「節 ＋ -たり ＋ する」が１度だけ使われます。

 （例）１．Ａ：　何かいいこと，あったんでしょう。
     Ｂ：　もしかして，だれかいい人，見つけたりして。
    ２．Ａ：　あしたは何もないですね。
     Ｂ：　ひょっとして，テストがあったりするかもしれません。

Ｂ．「し」は普通体のあとにつき，二つの用法があります。

１．動作や状況を表わす

 （例）１．Ａ：　もう寝ますか。
     Ｂ：　そうですね。さらは洗ったし，せんたくは終ったし，ガスはきったし，ドアのかぎもかけたし，タバコの火もだいじょうぶだし……。寝ましょうか。
    ２．Ａ：　こんばんお客さん来るけど，だいじょうぶ。
     Ｂ：　ビールは冷蔵庫に冷やしてあるし，さしみも買ったし，ごはんは後でスイッチを入れればいいし，部屋は朝掃除したし，だいじょうぶよ。

２．主節に関する理由を表わす

 （例）１．クイズもあるし，作文もあるし，学生は大変です。
    ２．授業もあるし，仕事もあるし，教師も大変です。

第 18 課

Ⅰ. 使役文

A. 動詞の使役形

辞書形	否定形	使役形
見る	見ない	見させる
食べる	食べない	食べさせる
着る	着ない	着させる
覚える	覚えない	覚えさせる
買う	買わない	買わせる
聞く	聞かない	聞かせる
待つ	待たない	待たせる
読む	読まない	読ませる
来る	来ない	来させる
する	しない	させる

B. 使役の文型

基本文　　　　　　　　　　使役文
1) Yが　自動詞　　　　　Xが　Yを　動詞（使役形）
2) Yが　自動詞　　　　　Xが　Yに　動詞（使役形）
3) Yが　Zを　他動詞　　Xが　Yに　Zを　動詞（使役形）
（例）
1)′娘が結婚する　　　　母が娘を結婚させる
2)′娘が結婚する　　　　母が娘に結婚させる
3)′娘がピアノをひく　　母が娘にピアノをひかせる

C. 用法

1. X（者）が意図的にY（動作をする者）にYの意志にかかわりなく動作をさせるときは，文型1）か3）が使われます。

　（例）1. いやがったが，（母は）娘を結婚させた。
　　　　2. いやがったが，（母は）娘にピアノをひかせた。

2．Xが意図的であるとないとにかかわらず作りだしたある状況が，Yにある動作をさせるときは，文型1）が使われます。

（例）1．母が娘を笑わせた。
2．娘が母を心配させた。
3．娘が母を泣かせた。

3．Yがある動作をしようとし，XがYの希望や意志を尊重してYにそのようにさせるときは，1）か3）の文型が使われます。

（例）1．結婚したいと言ったので，（母は）娘を結婚させた。
2．結婚したいと言ったので，（母は）娘に結婚させた。
3．ピアノをひきたいと言ったので，（母は）娘にピアノをひかせた。

4．使役文では動作をさせる人は動作をする人と同等かあるいは地位的に上の人でなければならない。そうでない場合には，動詞の-て形＋"もらう，いただく"が使われます。

（例）1．（わたしは）先生に紹介状を書かせました。　　　　（誤）
2．（わたしは）先生に紹介状を書いていただきました。（正）

II．名詞化 「こと」と「の」

名詞「こと」と助詞「の」は文を名詞節に変える働きをします。つまり「こと」と「の」は文が名詞化されていることを示します。以下に例をあげます。

（例）1．大きいことはいいことです。
2．日本語の勉強をはじめたのは3年前です。
3．DKというのは食事もできる台所のことです。

A．動詞の中には目的語として名詞節をとるものがあります。名詞節を「こと」で受けるか「の」で受けるかは，ふつうそれに続く動詞で決まります。

1．名詞節であることを示すのに「の」を要求する動詞：見る，見える，聞く，聞こえる，手伝う，待つ，など。

（例）1．中村さんがえいごで話しているのを見ました。
2．タクシーが来るのが見えました。
3．子供が泣いているのを聞きました。
4．お茶をいれるのを手伝いましょう。

    5．電車が来るのを待っていました。

  2．「こと」を要求する動詞: 信じる，話す，知らせる，許す，約束する，など。

   （例）1．わたしは中村さんが正しいことを信じています。
      2．あした来られないことを話しておいてください。
      3．あした授業がないことを学生に知らせてください。
      4．この部屋でたばこをすうことは許しません。
      5．かならず勉強することを約束します。

  3．「こと」でも「の」でもどちらでもいい動詞: 感じる，わかる，おぼえる，おどろく，
   など。

   （例）1．よく勉強したこと/のを感じさせます。
      2．時間をかけて作ったこと/のがわかります。
      3．この本を読んだこと/のをおぼえています。
      4．あの人が死んでいたこと/のにおどろいています。

B．「こと」という言葉はもともと事柄とか問題を意味します。また，「こと」が「名詞＋の＋
 こと」という形で使われるときは，「その名詞について」という意味です。

   （例）1．何かおもしろいことはありませんか。
      2．先生がおっしゃったことがわかりません。
      3．日本語の勉強のことでちょっとお話したいんですが。
      4．中村さんのことを知りたいと思っています。

C．ある一つの言葉を説明したり定義したりするとき，ふつう「の」や「こと」を使った次
 の文型が使われます。
    ［～というのは（文）　ということです］
    ［～というのは（名詞）ということです］

   （例）1．「ひま」というのは時間があるということです。
      2．パソコンというのはパーソナルコンピューターのことです。
      3．A：九大というのは。
       B：ああ，九州大学のことです。
      4．結婚するというのは，責任が増えるということです。

D．「こと」を使った以下の文型はすでに第14課で説明しました。

1．［動詞＋こと＋が＋できる］　　（動詞： 普通体，未完了，肯定）…可能
2．［動詞＋こと＋が＋ある］　　　（動詞： 普通体，完了，肯定）……過去の経験
3．［動詞＋こと＋が＋ある］　　　（動詞： 普通体，未完了）…………習慣的動作
4．［動詞＋こと＋に＋する］　　　（動詞： 普通体，未完了）…………決断
5．［動詞＋こと＋に＋なる］　　　（動詞： 普通体，未完了）…………決定の報告

（例）1．天気のいい日には富士山を見ることができます。
　　　2．この映画は前に見たことがあります。
　　　3．あしたからもっと早く起きることにしました。
　　　4．土曜日のゼミは，この本を読むことになりました。

III．話し手の心理を表わす助詞

A．話し言葉では「など」のかわりに「なんか」を使います。「なんか」は名詞の後にきて，そのあとには「は」「が」「を」などがきます。用法は以下の通りです。

1．例として示す

（例）1．A： どこか行ってみたいところ，ありますか。
　　　　　B： そうですね。ハワイとかバリ島なんかへ行ってみたいですね。
　　　2．A： 外国語は勉強なさいましたか。
　　　　　B： ええ。中国語とかアラビア語なんかを勉強しました。
　　　3．A： この仕事，だれにたのみましょうか。
　　　　　B： 山田さんなんかどうですか。
　　　4．A： いっしょにコーヒーなんかどうですか。
　　　　　B： いいですね。

2．文脈に応じて遠慮や軽蔑などを表わす

（例）1．A： こんなにむずかしい本はわたしなんかには読めませんよ。
　　　　　B： そんなことありませんよ。読んでみてください。
　　　2．A： わたしのことなんか心配しなくてもいいんです。
　　　　　B： いえ，そういうわけにはいきませんよ。
　　　3．A： ねえ，映画を見にいかない。
　　　　　B： 映画なんかつまらないよ。野球にしよう。
　　　4．A： 山田さんに話しました。
　　　　　B： 山田なんかには話してもむだですよ。

B．「ばかり」は次にみるように名詞や形容詞，動詞の後にきます。

名詞	＋	ばかり	－	学生ばかり
-い形容詞	＋	ばかり	－	わかいばかり
-な形容詞	＋	ばかり	－	ひまなばかり
動詞	＋	ばかり	－	食べるばかり，食べたばかり

1．量や質，頻度などを強調する

（例）1．ここにいるのはインドネシアの学生ばかりです。
　　　2．アリスさんはアイスクリームばかり食べています。
　　　3．あのレストランは高いばかりで，ちっともおいしくないんです。
　　　4．ここは静かなばかりで，便利じゃないんです。
　　　5．ピアノを習っているんですが，お金がかかるばかりで，なかなかうまくならないんです。

2．動作がたったいま終わったことを表わす

（例）1．A： ケーキ，食べますか。
　　　　　B： いえ，けっこうです。今食事したばかりですから。
　　　2．A： これについて何かご意見ありませんか。
　　　　　B： 今うかがったばかりで，まだよく考えていません。

3．数字の後にきて，「約」とか「ぐらい」を表わす

（例）1．そのリンゴ，三つばかりください。
　　　2．A： ご主人はもうお帰りですか。
　　　　　B： いえ。もう30分ばかりしたら帰ってくると思いますが。

年号早見表

明治1	1868	明治26	1893	大正6	1917	昭和16	1941	昭和41	1966
2	1869	27	1894	7	1918	17	1942	42	1967
3	1870	28	1895	8	1919	18	1943	43	1968
4	1871	29	1896	9	1920	19	1944	44	1969
5	1872	30	1897	10	1921	20	1945	45	1970
6	1873	31	1898	11	1922	21	1946	46	1971
7	1874	32	1899	12	1923	22	1947	47	1972
8	1875	33	1900	13	1924	23	1948	48	1973
9	1876	34	1901	14	1925	24	1949	49	1974
10	1877	35	1902	15	1926	25	1950	50	1975
11	1878	36	1903	昭和1	1926	26	1951	51	1976
12	1879	37	1904	2	1927	27	1952	52	1977
13	1880	38	1905	3	1928	28	1953	53	1978
14	1881	39	1906	4	1929	29	1954	54	1979
15	1882	40	1907	5	1930	30	1955	55	1980
16	1883	41	1908	6	1931	31	1956	56	1981
17	1884	42	1909	7	1932	32	1957	57	1982
18	1885	43	1910	8	1933	33	1958	58	1983
19	1886	44	1911	9	1934	34	1959	59	1984
20	1887	45	1912	10	1935	35	1960	60	1985
21	1888	大正1	1912	11	1936	36	1961	61	1986
22	1889	2	1913	12	1937	37	1962	62	1987
23	1890	3	1914	13	1938	38	1963	63	1988
24	1891	4	1915	14	1939	39	1964	64	1989
25	1892	5	1916	15	1940	40	1965	平成1	1989
								2	1990
								3	1991
								4	1992

日 本 地 図

県　名	県庁所在地		県　名	県庁所在地
1 北海道（道）	札幌		19 山　梨	甲府
2 青　森	青森		20 長　野	長野
3 岩　手	盛岡		21 岐　阜	岐阜
4 宮　城	仙台		22 静　岡	静岡
5 秋　田	秋田		23 愛　知	名古屋
6 山　形	山形		24 三　重	津
7 福　島	福島		25 滋　賀	大津
8 茨　城	水戸		26 京　都（府）	京都
9 栃　木	宇都宮		27 大　阪（府）	大阪
10 群　馬	前橋		28 兵　庫	神戸
11 埼　玉	浦和		29 奈　良	奈良
12 千　葉	千葉		30 和歌山	和歌山
13 東　京（都）	東京		31 島　取	島取
14 神奈川	横浜		32 島　根	松江
15 新　潟	新潟		33 岡　山	岡山
16 富　山	富山		34 広　島	広島
17 石　川	金沢		35 山　口	山口
18 福　井	福井		36 徳　島	徳島

県と県庁所在地

北海道地方

東北地方

関東地方

中国地方

中部地方

近畿地方

四国地方

九州地方

沖縄

県　名	県庁所在地		県　名	県庁所在地
37 香　川	高松		43 熊　本	熊本
38 愛　媛	松山		44 大　分	大分
39 高　知	高知		45 宮　崎	宮崎
40 福　岡	福岡		46 鹿児島	鹿児島
41 佐　賀	佐賀		47 沖　縄	那覇
42 長　崎	長崎			

（豊田豊子・河原崎幹夫『日本の地理』昭和53年，日本語教育学会，6ページより転載）

INDEX

(All of the vocabulary is not included.)

Lesson 10 — Lesson 18

【a】

「あ」	234
「あ」［練習］	244
間	5, 37
あいづち（3）	5
です・でした	6
guess the rest of the sentence	5
あいづち（3）［練習］	15
後	37
あやまる	89
あやまる［練習］	100, 101, 102

【b】

ばかり	240
(number)ばかり	240
たばかり	240
ばかり［練習］	249
ビザを延長する	82

【c】

causative forms of a verb	236
causative sentence	236
causative sentence［練習］	247
ちょっと…	123
ちょっと…［練習］	132
～中	64
注釈する	229
注釈する［練習］	241, 242, 243
clause＋の＋に	157
comparison of "-そうだ, ようだ and らしい"	68
conjunctions :	
そして, それから, それに and それで	210
contrastive patters :	
のに, けれども and -ても	69
conviction	10

【d】

だけ	183
これ（あれ, それ, どれ）だけ	183
だけあって	183
だけの	183
だけのことはある	183
だけ［練習］	190
だろう	98
だろう［練習］	107
電話教育相談	168
でしょう	98
です・でした	6
direct passive sentence	181
ディスクジョッキー	20
「道化師のソネット」	170
どうぞ	93
どうぞ［練習］	103
ドラマ： 浜辺の謎	192
ドラマ： 青春物語	137

【e】

映画「乱」	139
expressions for showing purpose	155
expressions of guess :	
-そうだ, ようだ（みたいだ）and らしい	67
expressions of hearsay :	
そうだ, と言っていた and って	158
expressions of hearsay［練習］	167
expressions of obligation and condition	96
expressions of personal intention and conviction	8
expressions of probability	98
expressions using "気"	71
expressions with "べき"	97

【g】

giving advice	152
giving advice［練習］	163
guess the rest of the sentence	5

【h】

はじめは	4
浜辺の謎	192
反対する	201
原っぱ	85
はず	10
はず［練習］	18
hearsay［練習］	167
ほめる・けんそんする	29
ほめる・けんそんする［練習］	43, 44, 45
ほうが…	152
ほうが…［練習］	163
～ふうに	34

【i】

一概に	204
いくら～ても［練習］	79
independency of a sentence in spoken Japanese	179
independency of a sentence in spoken Japanese ［練習］	188
indirect passive sentence	182
intention and conviction	8
いらした	65
いよいよ	152

【k】

かえって	205
科学者の社会的責任	115
～かい/がい	179
かもしれない/かもしれません	99
かもしれない［練習］	108
感謝する	1
感謝する［練習］	12, 13, 14
企業がのぞむ人材	52
から…	123
から…［練習］	132
貸し借り	24
けど…	94
けど…［練習］	104
建築における日本美	250
けんそんする	29
けれども	69
気	71
「こ」	233
「こ」［練習］	244
こんど	122
講演： 建築における日本美	250

後悔する	175
高齢化社会	221
「こ・そ・あ」	205
「こ・そ・あ」の「こ」と「あ」について	233
「こ・そ・あ」の「こ」と「あ」［練習］	244
「こ・そ・あ」の「そ」について	206
「こ・そ・あ」の「そ」［練習］	216
こと	127
ことがある	127
ことにする	128
ことになる	128
ことはない	128
ことにする［練習］	136
こと and の	237
こと and の［練習］	248
ことができる	95
～くらい/ぐらい	122
京都旅行	55

【l】

leaving elements unsaid（1）	93
どうぞ	93
けど…	94
making offers	93
making suggestions	93
leaving elements unsaid（1）［練習］	103
leaving elements unsaid（2）	122
から…	123
negative evaluation	123
ので…	123
polite refusal	122
し…	123
-て…	123
ちょっと…	123
leaving elements unsaid（2）［練習］	132
leaving elements unsaid（3）	152
ほうが…	152
giving advice	152
-たら…	152
と…	153
leaving elements unsaid（3）［練習］	163

【m】

前	37
-まいと思う	11
making offers	93
making offers［練習］	103

making suggestions   93

making suggestions ［練習］   103

満足する・後悔する   175

満足する・後悔する ［練習］   186, 187, 188

みたいだ   67

みたいだ ［練習］   78

も   7

も ［練習］   17

modifier＋つもりだ   9

文句を言う   61

文句を言う ［練習］   72, 73, 74

もの（もん）   124

もの（もん）［練習］   134

【n】

なぐさめる   117

なぐさめる ［練習］   129, 130, 131

-なければいけない   97

-なければならない   96

-なくてはいけない   97

-なくてはならない   96

-なくてはならない ［練習］   106

-なくちゃ   97

-なきゃ   97

名前について   253

なんか   239

negative evaluation   123

negative evaluation ［練習］   132

negative volitional form of verbs＋と＋思う   10

に   156

にかけて   233

にちがいない/ちがいありません   99

によって   232

の   237

「のだ」について（1）   34

「のだ」（1）［練習］   46

「のだ」について（2）   65

     のだった（～んでした/～んだった）   66

「のだ」（2）［練習］   75

ので…   123

ので… ［練習］   132

nominalization：こと and の   237

のに   69

のに ［練習］   78

（の)に   157

（の)に ［練習］   166

（の)に対して   233

noun が＋noun に＋predicate   157

noun modifying clause（2）   209

noun modifying clause（2）［練習］   219

noun＋に   157

ニュース：春闘   80

【o】

おたがいさまだ   92

【p】

particles showing the speaker's emotional

     attitude   239

     ばかり   240

     なんか   239

passive form of verbs   181

passive sentence   181

passive sentence ［練習］   190

personal intention and conviction   8

polite refusal   122

polite refusal ［練習］   132

potential form   95

potential sentence   95

potential sentence ［練習］   106

プロ野球について聞く   22

【r】

ラジオ講座：　高齢化社会   221

らしい   68

らしい ［練習］   77

「乱」   139

リフレッシュ体操をする   54

【s】

散髪脱刀随意令   143

賛成する・反対する   201

賛成する・反対する ［練習］   214, 215

さすが   34

生活ゼミナール   109

青春物語   137

し…   123

し… ［練習］   132

し   212

し ［練習］   220

使役文 ［練習］   247

四月十日，ボストンコモンにて   25

新聞マンガ   225

失礼しました   233

春闘	80
習慣の違い	84
「そ」	206
「そ」［練習］	216
それで	211
それから	210
それに	211
そして	210
-そうだ	67
そうだ	158
好きなタイプ	223

【t】

ただ	204
対談： 企業がのぞむ人材	52
-たことがある	127
-たことにする	128
たことにする［練習］	136
ために	155
-たら	152
-たり	212
-て…	123
-て…［練習］	132
-ていらした	65
-てから	39
-てから/-たから［練習］	51
-ても	70
-ても/-でもはじまらない	65
time expressions	37
と	153
と言っていた	158
ということだ	92
時	37
ところ	126
-たところでは	127
ところだ	126
ところで	127
ところへ	127
ところまでは	127
ところを	126
ところ［練習］	135
徳川美術館で説明を聞く	111
東京問題の解決策	173
つもり	11
つもり［練習］	19
つもりだ	9
って	65, 158

【u】

うち	37
うちに［練習］	49
うちに（は）はいらない	152
受身文［練習］	190
usage of "だけ"	183
usage of "こと"	127
usage of "も"	7
usage of "もの"	124
usage of "ところ"	126
usage of the volitional form of verbs	184
usage of "は"	40
usage of "わけ"	125
use of "だろう/でしょう"	98
use of "かもしれない/かもしれません"	99
use of "にちがいない/にちがいありません"	99
use of particle "に"	156
use of "ために"	155
use of "ように"	156
歌「道化師のソネット」をきく	170
歌「舟唄」をきく	195

【v】

verb base＋に	157
volitional form of verbs	8, 184
volitional form of verbs＋と＋思う	8
volitional form＋とする/と思う	184

【w】

は	40
別れを告げる	147
別れを告げる［練習］	160, 161, 162
「わかる」ということ	57
わけ	125
わけじゃない	125
わけじゃない［練習］	134
わけにはいかない	125
笑いについて	255
私の読んだ本	199

【y】

やっぱり	179
～用	5
ようだ	67
ように	156
ように［練習］	166
よう/らしい［練習］	77

-ようと思う　　　　　　　　　9, 184
-ようとする　　　　　　　　　　184
-ようとする［練習］　　　　　　191

【 z 】
ぜひ　　　　　　　　　　　　　　　　　　152

日本と世界のあゆみ

● 西暦の表記について
B.C.は紀元前を示す略号。(before Christ の略)
A.D.は紀元後を示す略号。(L.Anno Domini の略)

● 国名の略号について
〔米〕アメリカ　〔独〕ドイツ　〔ス〕スウェーデン　〔ソ〕ソ連
〔英〕イギリス　〔西〕スペイン　〔ノ〕ノルウェー　〔中〕中国
〔仏〕フランス　〔伊〕イタリア　〔ベ〕ベルギー　〔朝〕朝鮮
〔露〕ロシア　〔蘭〕オランダ　〔印〕インド　〔墺〕オーストリア

B.C. A.D.

2600 2400 2200 2000 1800 1600 1400 1200 1000 800 600 400 200 100 1 1 100 200 300 400 500 600 700 800 900 1000 1100 1200 1300 1400 1500 1600 1700 1800 1900

日本のあゆみ

原始社会　古代社会　封建社会　近現代

縄文　弥生　大和　飛鳥　奈良　平安　鎌倉　室町　江戸
南北朝　戦国　安土桃山　明治　大正　昭和

農耕生活がはじまる
小国の分立
邪馬台国
大和朝廷の統一すすむ
仏教が伝わる
大陸文化が伝わる
古墳文化が栄える
聖徳太子の政治
仏教文化が栄える
律令国家ができる
天平文化が栄える
国風文化が栄える
摂関政治がはじまる
荘園がひろまる
藤原氏が全盛
武士がおこる
武家政治がはじまる
武家文化がおこる
守護大名の力が強まる
戦国大名の力が強まる
南蛮文化が伝わる
全国統一
鎖国
元禄文化が栄える
化政文化が栄える
立憲政治がはじまる
産業革命がすすむ
日中・太平洋戦争
民主政治がすすむ
武家政治がゆきづまる

世界のあゆみ

古代（奴隷制）　中世（封建制）　近代（資本制）

四大河文明が栄える
ギリシア文化が栄える
ヘレニズム文化がおこる
仏教がひろまる
ローマ帝国が栄える
ゲルマン人の大移動
唐の文化が栄える
イスラム文化が栄える
西欧に封建社会が発達
ルネッサンスがはじまる
新航路の発見
宗教改革おこる
西欧諸国の東洋進出
絶対王政はじまる
市民革命がはじまる
産業革命がはじまる
帝国主義時代がはじまる
世界大戦がおこる
民主主義の発展

朝鮮・中国・インド・西アジア・ヨーロッパ

辰韓　弁韓　馬韓　任那　百済　高句麗　新羅　高麗　朝鮮（李氏）　渤海　金
大韓民国　朝鮮民主主義人民共和国
中華民国　中華人民共和国

（黄河文明）　殷　周（春秋）（戦国）　秦　前漢　後漢　魏呉蜀　西晋　東晋　南北朝　隋　唐　五代十国　北宋　南宋　元　明　清

モンゴル人民共和国

（インダス文明）　アーリア人の移住　大月氏　クシャナ朝（カニシカ王）　マウリア　アンドラ朝　諸王朝の対立期　ムガール帝国
英領インド　インド連邦　スリランカ　パキスタン国民共和国　バングラデシュ人民共和国

パルチア王国　ササン朝ペルシア　イスラム帝国　トルコ帝国（オスマン・トルコ）　中東諸国

エジプト王国　ペルシア帝国　アレキサンダー帝国　エジプト王国　マケドニア　マケドニア

シュメール　バビロニア王国　アッシリア

（エーゲ文明）（クレタ文明）　アテネ　スパルタ　ギリシア

ローマ帝国　東ローマ帝国　チムール帝国

ローマ共和国　西ローマ帝国　フランク王国　中フランク　イタリア王　イタリア　共和国イタリア

神聖ローマ帝国　プロシア　ドイツ連邦　ドイツ帝国　ドイツ連邦共和国　ドイツ民主共和国
チェコスロバキア　オーストリア帝国　ハンガリー　オーストリア

東フランク　西フランク　フランス王国　フランス共和国
イングランド王国　イギリス王国　イギリス連邦
スコットランド王国

ロシア帝国　ソビエト社会主義共和国連邦

英仏植民地　アメリカ合衆国
（マヤ文明）　インカ帝国　植民地時代　南米諸国

B.C. A.D.

『教科別大事典』昭和53年，旺文社，より

編集者・執筆者及び協力者一覧

竹内　俊男
水谷　　修
土岐　　哲
藤原　雅憲
尾崎　明人
鹿島　　央
籾山　洋介
秋山　　豊
石井　佐知子
伊豆原　英子
越前谷　明子
王　　伸子
大塚　容子
岡田　安代
神田　紀子

酒井　峰男
須沢　千恵子
宗林　由佳
田中　衞子
嶽　　逸子
椿　　由紀子
坪田　雅子
深尾　百合子
藤岡　頌子
松木　玲子
水田　澄子
向井　淑子
村上　京子
山本　富美子

この教科書には別売テープがあります。
最寄りの書店又は小会宛ご注文下さい。
◇ カセットテープ C-45×2本，C-90×1本
◇ 定価 7,210 円（本体 7,000 円）

現代日本語コース中級II

1990年 1 月20日　初版第 1 刷発行
1993年 7 月20日　初版第 4 刷発行

定価はカバーに
表示しています

編　者　名古屋大学日本語
　　　　教育研究グループ
発行者　浅井淳平

発行所　財団法人 名古屋大学出版会
〒464-01　名古屋市千種区不老町名古屋大学構内
振替 名古屋2-11638
電話（052)781-5027 FAX（052)781-0697

© 名古屋大学日本語教育研究グループ，1990　Printed in Japan
印刷・製本 ㈱クイックス　　ISBN4-8158-0127-4
乱丁・落丁はお取替えいたします。

話すことに重点をおいた新しい日本語教科書

Worksheet based on "A COURSE IN MODERN JAPANESE vol.3 vol.4"

現代日本語コース中級 I・II
聴解ワークシート

名古屋大学言語文化部日本語学科編
■Ａ４判・函入・各３分冊（Ⅰ・238頁、Ⅱ・218頁）
　＋テープ（Ｃ-46×１）・定価　各5,000円（税込）・〒450円

『現代日本語コース中級Ⅰ・Ⅱ』所収の「聞く練習」のシラバスを配
列したワークシート。学習者に対しては、聞き取りのポイントや技
術を提供し、現場の教師に対しては、指導手順を明確にすることを
意図して作られた。

A COURSE IN MODERN JAPANESE
Vol.1　Vol.2

名古屋大学日本語教育研究グループ編
■Ｂ５判・324頁（Vol.1）・294頁（Vol.2）
　定価各2,369円（税込）・〒380円

『現代日本語コース中級Ⅰ・Ⅱ』の前編にあたる外国人のための日本
語初級テキスト。身近な生活の場面を題材にとりあげ、生きた日本
語の習得を目的として作られた。

An Introduction to
Japanese Kanbun

駒井　明/ T.H.ローリック共著
■Ｂ５判・164頁・定価3,090円（税込）・〒380円

本書は、現代日本語と日本の古典文法の基礎を習得した外国人及び
留学生のための漢文理解のために作られた教科書であり、日本人の
英語力向上にも役立つものである